KB086628

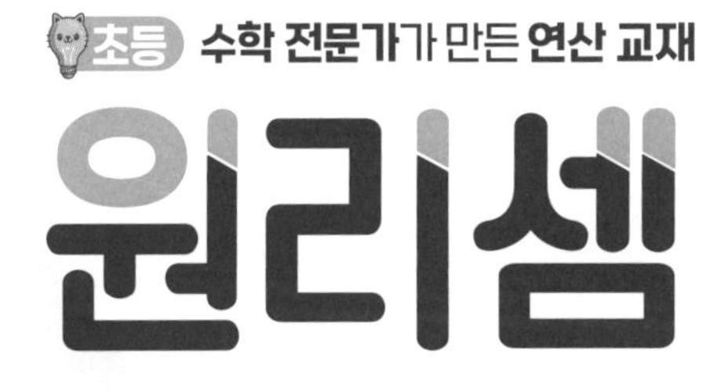
초등 수학 전문가가 만든 연산 교재
원리셈

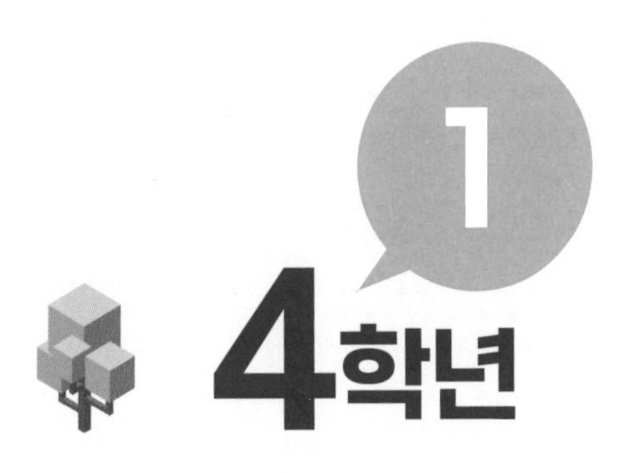
1
4학년

큰 수의 곱셈

교과 과정 완벽 대비
수학 전문가가 만든 연산 교재
다양한 형태의 문제로 재미있게 연습하는 원리셈

지은이의 말

수학은 원리로부터

수학은 구체물의 관계를 숫자와 기호의 약속으로 나타내는 추상적인 학문입니다. 이 점이 아이들이 수학을 어려워하는 가장 큰 이유입니다. 이러한 수학은 제대로 된 이해를 동반할 때 비로소 힘을 발휘할 수 있습니다. 수학은 어느 단계에서나 원리가 가장 중요합니다.

수학 교육의 변화

답을 내는 방법만 알아도 되는 수학 교육의 시대는 지나고 있습니다. 연산도 한 가지 방법만 반복 연습하기 보다 다양한 풀이 방법이 중요합니다. 교과서는 왜 그렇게 해야 하는지 가르쳐 주고 다양한 방법을 생각하도록 하지만, 학생들은 단순하게 반복되는 연습에 원리는 잊어버리고 기계적으로 답을 내다보니 응용된 내용의 이해가 부족합니다.

연산 학습은 꾸준히

유초등 학습 단계에 따라 4권~6권의 구성으로 매일 10분씩 꾸준히 공부할 수 있습니다. 원리와 다양한 방법의 학습은 그림과 함께 재미있게, 연습은 다양하게 진행하되 마무리는 집중하여 진행하도록 했습니다. 부담 없는 하루 학습량으로 꾸준히 공부하다 보면 어느새 연산 실력이 부쩍 늘어난 것을 알 수 있습니다.

개정판 원리셈은

동영상 강의 확대/초등 고학년 원리 학습 과정 강화 등으로 교과 과정을 완벽하게 대비할 수 있도록 원리와 개념, 계산 방법을 학습합니다. 단계별 원리 학습은 물론이고 연습도 강화했습니다.

학부모님들의 연산 학습에 대한 고민이 원리셈으로 해결되었으면 하는 바람입니다.

지은이 천종현

원리셈의 특징

원리셈의 학습 구성

한 권의 책은 매일 10분 / 매주 5일 / 6주 학습

원리셈의 시나브로 강해지는 학습 알고리즘

초등 원리셈은

시작은 원리의 이해로부터, 마무리는 충분한 연습과 성취도 확인까지

체계적인 학습 구성

쉽게 이해하고 스스로 공부!
실수가 많은 부분은 별도로 확인하고 연습!
주제에 따라 실전을 위한 확장적 사고가 필요한 내용까지!
원리로 시작되는 단계별 학습으로 곱셈구구마저 저절로 외워진다고 느끼도록!

원리셈 전체 단계

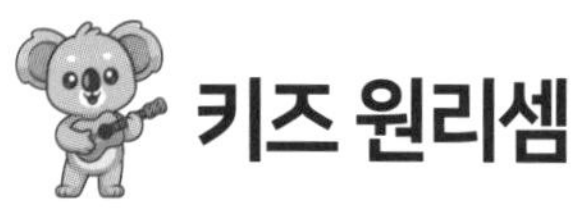

키즈 원리셈

5·6세	
1권	5까지의 수
2권	10까지의 수
3권	10까지의 수 세어 쓰기
4권	모아 세기
5권	빼어 세기
6권	크기 비교와 여러 가지 세기

6·7세	
1권	10까지의 더하기 빼기 1
2권	10까지의 더하기 빼기 2
3권	10까지의 더하기 빼기 3
4권	20까지의 더하기 빼기 1
5권	20까지의 더하기 빼기 2
6권	20까지의 더하기 빼기 3

7·8세	
1권	7까지의 모으기와 가르기
2권	9까지의 모으기와 가르기
3권	덧셈과 뺄셈
4권	10 가르기와 모으기
5권	10 만들어 더하기
6권	10 만들어 빼기

초등 원리셈

1학년	
1권	받아올림/내림 없는 두 자리 수 덧셈, 뺄셈
2권	덧셈구구
3권	뺄셈구구
4권	□ 구하기
5권	세 수의 덧셈과 뺄셈
6권	(두 자리 수)±(한 자리 수)

2학년	
1권	두 자리 수 덧셈
2권	두 자리 수 뺄셈
3권	세 수의 덧셈과 뺄셈
4권	곱셈
5권	곱셈구구
6권	나눗셈

3학년	
1권	세 자리 수의 덧셈과 뺄셈
2권	(두/세 자리 수)×(한 자리 수)
3권	(두/세 자리 수)×(두 자리 수)
4권	(두/세 자리 수)÷(한 자리 수)
5권	곱셈과 나눗셈의 관계
6권	분수

4학년	
1권	큰 수의 곱셈
2권	큰 수의 나눗셈
3권	분모가 같은 분수의 덧셈과 뺄셈
4권	소수의 덧셈과 뺄셈

5학년	
1권	혼합 계산
2권	약수와 배수
3권	분모가 다른 분수의 덧셈과 뺄셈
4권	분수와 소수의 곱셈

6학년	
1권	분수의 나눗셈
2권	소수의 나눗셈
3권	비와 비율
4권	비례식과 비례배분

초등 원리셈의 단계별 학습 목표

원리와 연습을 모두 잡는 원리셈!!

학년별 학습 목표와 다른 책에서는 만나기 힘든 특별한 내용을 확인해 보세요.

1학년 원리셈

모든 연산 과정 중 실수가 가장 많은 덧셈, 뺄셈의 집중 연습
여러 가지 계산 방법 알기
덧셈, 뺄셈의 관계를 이용한 '□ 구하기'의 이해

2학년 원리셈

두 자리 덧셈, 뺄셈의 여러 가지 계산 방법의 숙지와 이해
곱셈 개념을 폭넓게 이해하고, 곱셈구구를 힘들지 않게 외울 수 있는 구성
나눗셈은 3학년 교과의 내용이지만 곱셈구구를 외우는 것을 도우면서 곱셈구구의 범위에서 개념 위주 학습

3학년 원리셈

기본 연산은 정확한 이해와 충분한 연습
곱셈, 나눗셈의 관계를 이용한 '□ 구하기'의 이해
분수는 학생들이 어려워 하는 부분을 중점적으로 이해하고, 연습하도록 구성

4학년 원리셈

작은 수의 곱셈, 나눗셈 방법을 확장하여 이해하는 큰 수의 곱셈, 나눗셈
교과서에는 나오지 않는 실전적 연산을 포함
많이 틀리는 내용은 별도 집중학습

5학년 원리셈

연산은 개념과 유형에 따라 단계적으로 학습 후 충분한 연습
약수와 배수는 기본기를 단단하게 할 수 있는 체계적인 구성

6학년 원리셈

분수와 소수의 나눗셈은 원리를 단순화하여 이해
비의 개념을 확장하여 문장제 문제 등에서 만나는 비례 관계의 이해와 적용
비와 비례식은 중등 수학을 대비하는 의미도 포함. 강추 교재!!

4학년 구성과 특징

1, 2권은 자연수의 곱셈과 나눗셈을 마무리하는 책입니다. 큰 수의 곱셈과 나눗셈을 공부하면서 0이 많은 셈의 규칙을 살펴봅니다. 3권은 분모가 같은 분수의 덧셈과 뺄셈, 4권은 소수의 덧셈과 뺄셈은 원리를 이해하고, 충분한 연습을 하도록 했습니다.

원리

원리를 직관적으로 이해하고 쉽게 공부할 수 있도록 하였습니다.

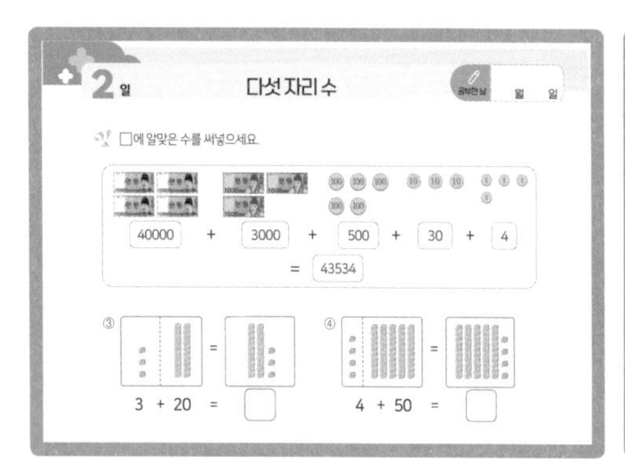

2일
다섯 자리 수
□에 알맞은 수를 써넣으세요.
40000 + 3000 + 500 + 30 + 4
= 43534
3 + 20 =
4 + 50 =

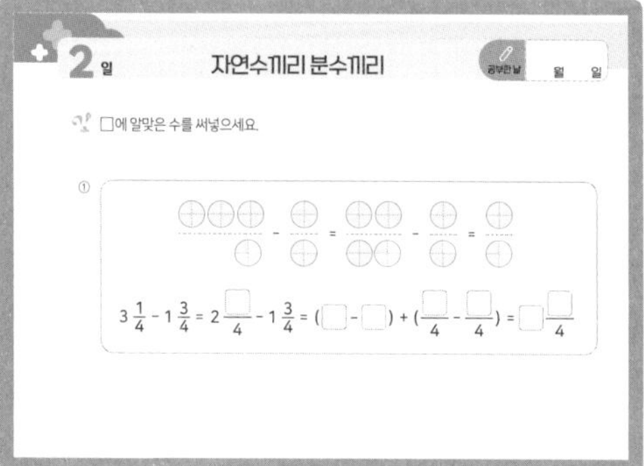

다양한 계산 방법

다양한 계산 방법을 공부함으로써 수를 다루는 감각을 키우고, 상황에 따라 더 정확하고 빠른 계산을 할 수 있도록 하였습니다.

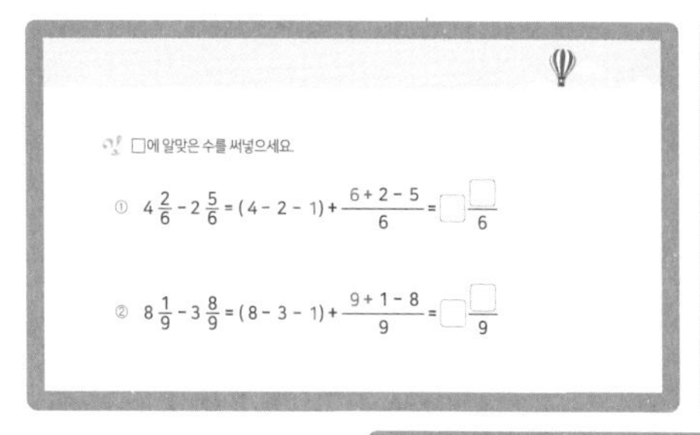

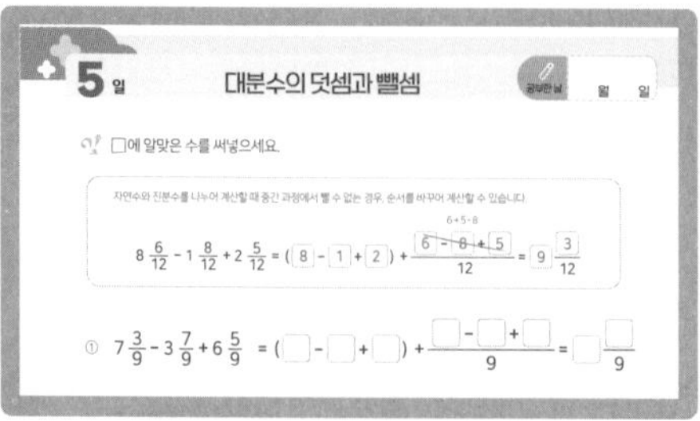

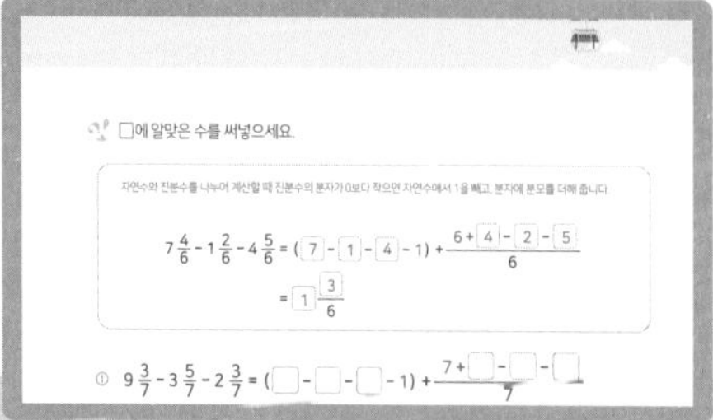

연습

기본 연습 문제를 중심으로 여러 형태의 문제로 지루하지 않게 반복하여 연습할 수 있도록 구성하였습니다.

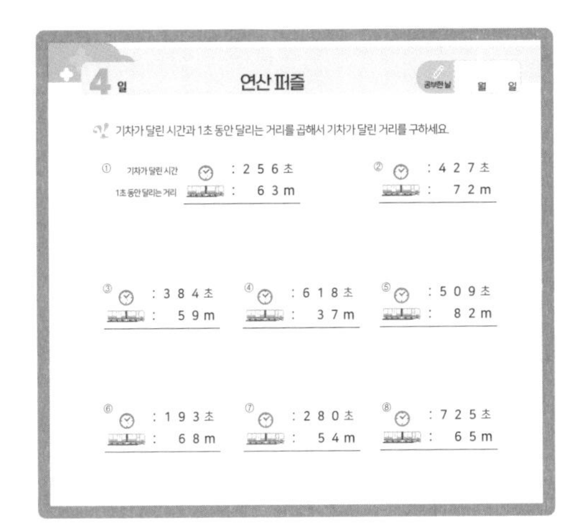
4일 연산 퍼즐 공부한 날 월 일

기차가 달린 시간과 1초 동안 달리는 거리를 곱해서 기차가 달린 거리를 구하세요.

① 기차가 달린 시간 : 256초 / 1초 동안 달리는 거리 : 63m
② : 427초 / : 72m
③ : 384초 / : 59m
④ : 618초 / : 37m
⑤ : 509초 / : 82m
⑥ : 193초 / : 68m
⑦ : 280초 / : 54m
⑧ : 725초 / : 65m

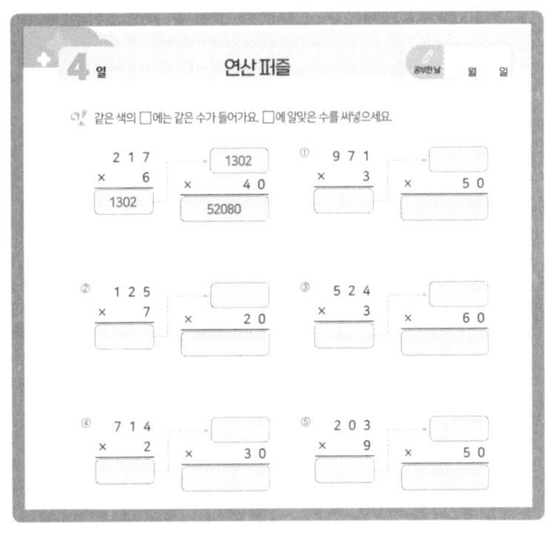
4일 연산 퍼즐 공부한 날 월 일

같은 색의 □에는 같은 수가 들어가요. □에 알맞은 수를 써넣으세요.

217 × 6 = 1302 → 1302 × 40 = 52080
① 971 × 3 → × 50
② 125 × 7 → × 20
③ 524 × 3 → × 60
④ 714 × 2 → × 30
⑤ 203 × 9 → × 50

도전! 계산왕

주제가 구분되는 두 개의 단원은 정확성과 빠른 계산을 위한 집중 연습으로 주제를 마무리 합니다.

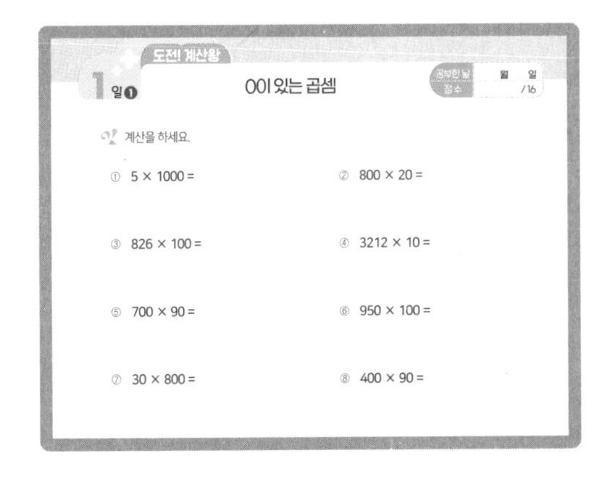
도전! 계산왕 1일❶ 0이 있는 곱셈 공부한 날 월 일 점수 /16

계산을 하세요.

① 5 × 1000 =
② 800 × 20 =
③ 826 × 100 =
④ 3212 × 10 =
⑤ 700 × 90 =
⑥ 950 × 100 =
⑦ 30 × 800 =
⑧ 400 × 90 =

성취도 평가

개념의 이해와 연산의 수행에 부족한 부분은 없는지 성취도 평가를 통해 확인합니다.

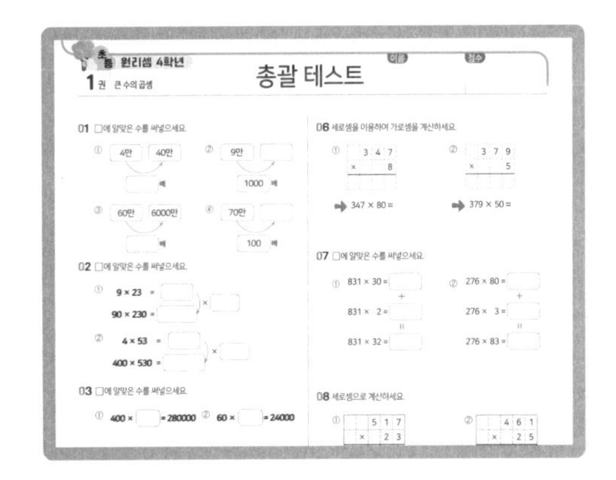
원리셈 4학년 1권 큰 수의 곱셈 총괄 테스트 이름 점수

01 □에 알맞은 수를 써넣으세요.
02 □에 알맞은 수를 써넣으세요.
03 □에 알맞은 수를 써넣으세요.
06 세로셈을 이용하여 가로셈을 계산하세요.
07 □에 알맞은 수를 써넣으세요.
08 세로셈으로 계산하세요.

책의 사이사이에 학생의 학습을 돕기 위한 저자의 내용을 잘 이용하세요.

단원의 학습 내용과 방향

한 주차가 시작되는 쪽의 아래에 그 단원의 학습 내용과 어떤 방향으로 공부하는지를 설명해 놓았습니다.
학부모님이나 학생이 단원을 시작하기 전에 가볍게 읽어 보고 공부하도록 해 주세요.

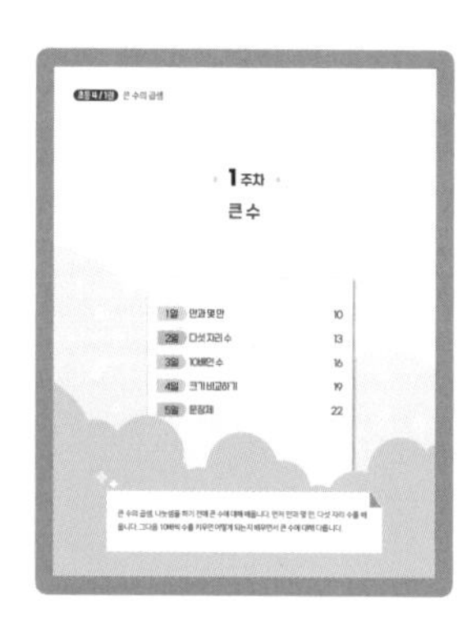

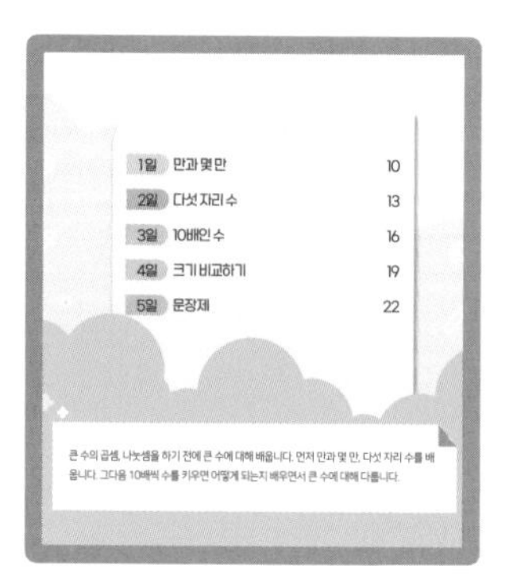

이해를 돕는 저자의 동영상 강의

처음 접하는 원리/개념과 연산 방법의 이해를 돕기 위한 동영상 강의가 있으니 이해가 어려운 내용은 QR코드를 이용하여 편리하게 동영상 강의를 보고, 공부하도록 하세요.

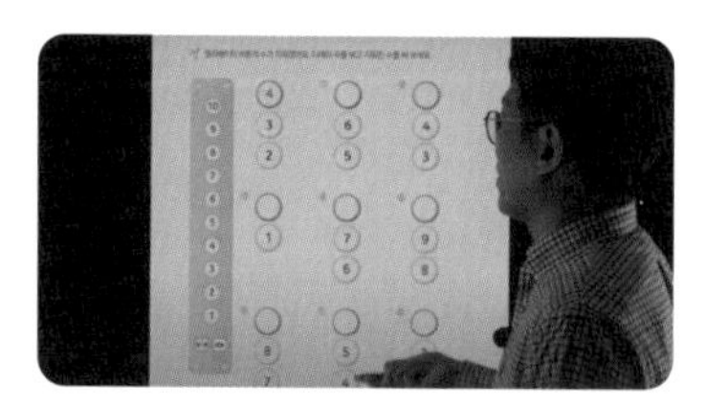

학습 Tip

간략한 도움글은 각 쪽의 아래에 있습니다.

천종현수학연구소 네이버 카페와 홈페이지를 활용하세요.

카페와 홈페이지에는 추가 문제 자료가 있고, 연산 외에서 수학 학습에 어려움을 상담 받을 수 있습니다.

네이버에서 천종현수학연구소를 검색하세요.

1 주차

큰 수

큰 수의 곱셈, 나눗셈을 하기 전에 큰 수에 대해 배웁니다. 먼저 만과 몇만, 다섯 자리 수를 배웁니다. 그다음 10배씩 수를 키우면 어떻게 되는지 배우면서 큰 수에 대해 다룹니다.

만과 몇만

9999보다 1 큰 수를 10000이라 하고 만이라 읽습니다. 10000은 1000의 10배입니다.

10000이 되도록 □에 알맞은 수를 써넣으세요.

7000 + [3000] = 10000

①

6000 + □ = 10000

②

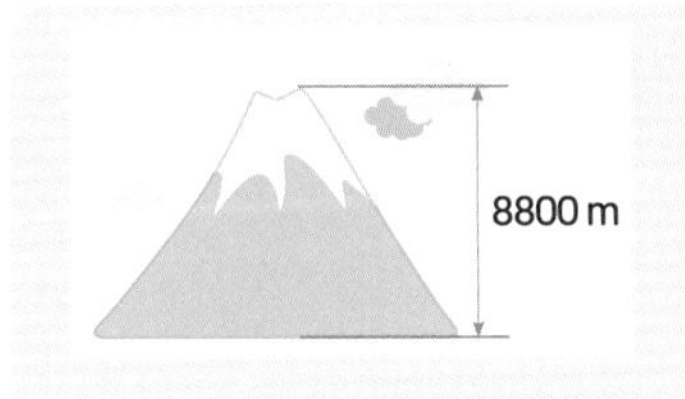

8800 + □ = 10000

③

4000 + □ = 10000

④

9900 + □ = 10000

□에 알맞은 수를 써넣으세요.

①

②

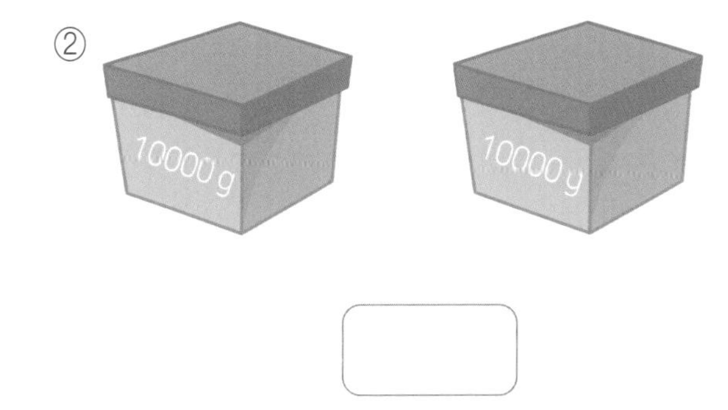

③

④

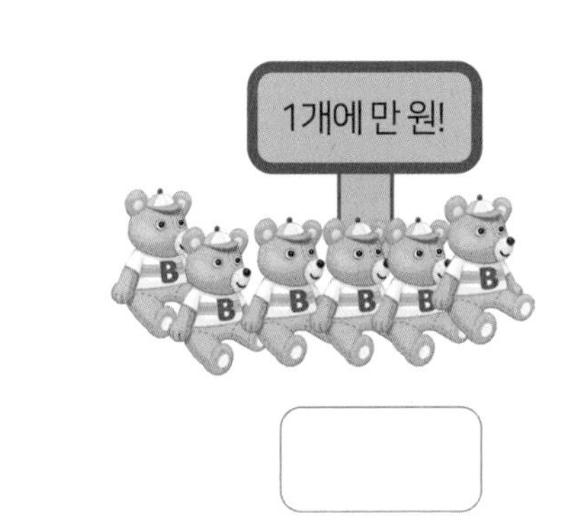

⑤ ⑥

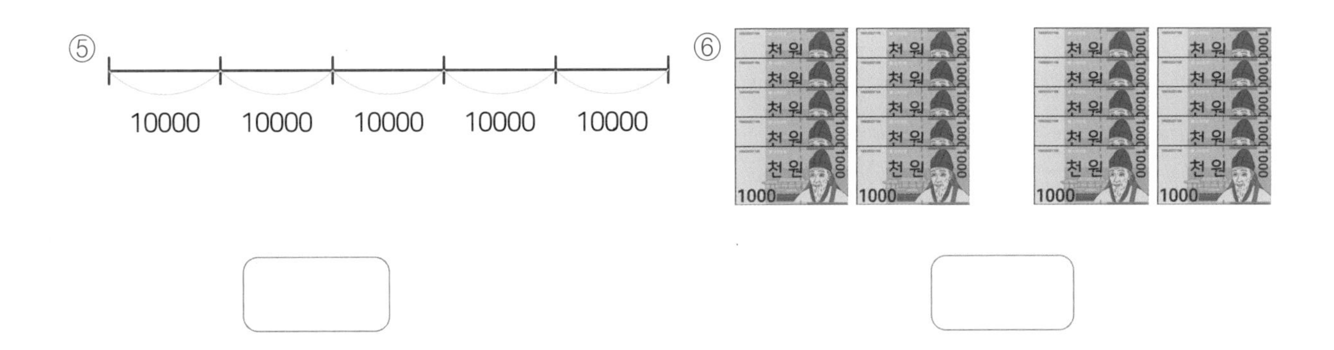

□에 알맞은 수를 써넣으세요.

① 10000은 1000의 □ 배 입니다.

② 10000이 3개인 수는 □ 입니다.

③ 오만은 □ 이라 씁니다.

④ 9500은 10000보다 □ 작은 수입니다.

⑤ 70000은 10000이 □ 개인 수입니다.

⑥ 9990은 10000보다 □ 작은 수입니다.

⑦ 50000은 10000의 □ 배 입니다.

⑧ 1000이 80개인 수는 □ 입니다.

⑨ □ 은 칠만이라고 읽습니다.

다섯 자리 수

공부한 날 월 일

□에 알맞은 수를 써넣으세요.

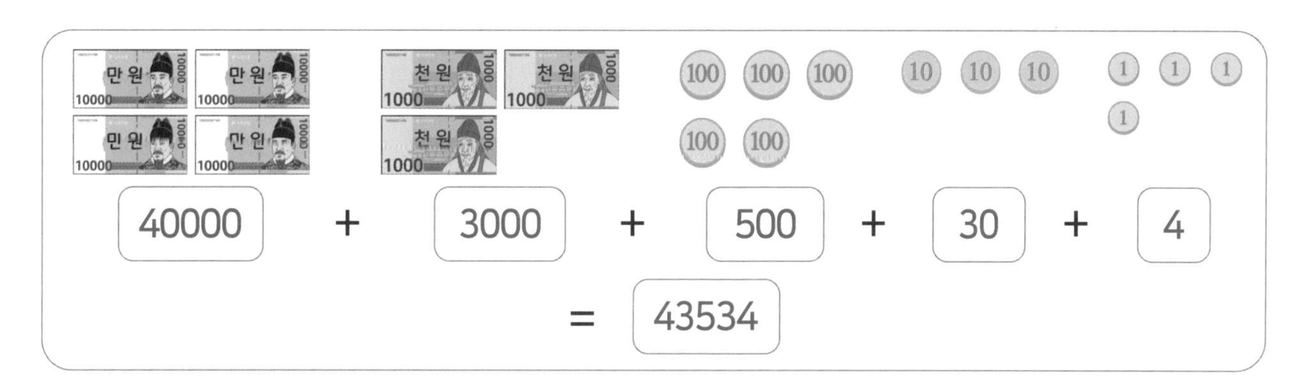

①

만 원 10000

천 원 1000 천 원 1000

천 원 1000 천 원 1000

100 100 100

100 100 100

10 10

1 1 1

□ + □ + □ + □ + □

= □

②

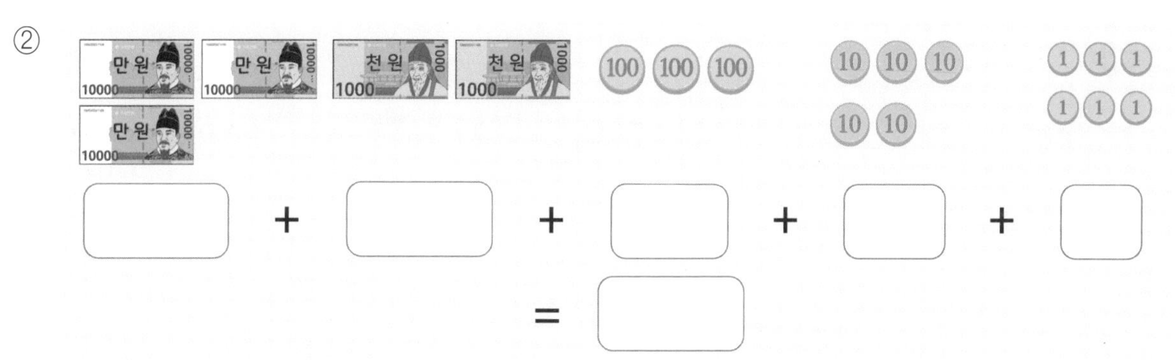

□ + □ + □ + □ + □

= □

③

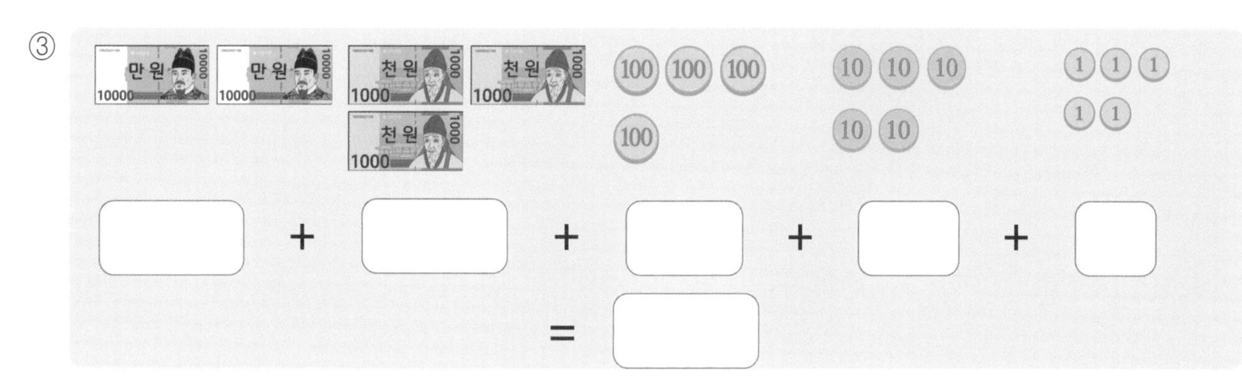

□ + □ + □ + □ + □

= □

□에 알맞은 수를 써넣으세요.

45973

➡ 10000이 [4]개, 1000이 [5]개, 100이 [9]개, 10이 [7]개, 1이 [3]개

① 29548

➡ 10000이 [ ]개, 1000이 [ ]개, 100이 [ ]개, 10이 [ ]개, 1이 [ ]개

② [ ]

➡ 10000이 5개, 1000이 7개, 100이 4개, 10이 1개, 1이 8개

③ 86347

➡ 10000이 [ ]개, 1000이 [ ]개, 100이 [ ]개, 10이 [ ]개, 1이 [ ]개

④ [ ]

➡ 10000이 1개, 1000이 9개, 100이 3개, 10이 4개, 1이 4개

⑤ 36934

➡ 10000이 [ ]개, 1000이 [ ]개, 100이 [ ]개, 10이 [ ]개, 1이 [ ]개

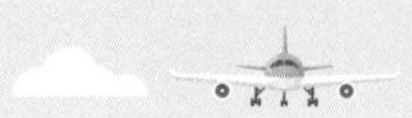

수를 뛰어 센 것입니다. □에 알맞은 수를 써넣으세요.

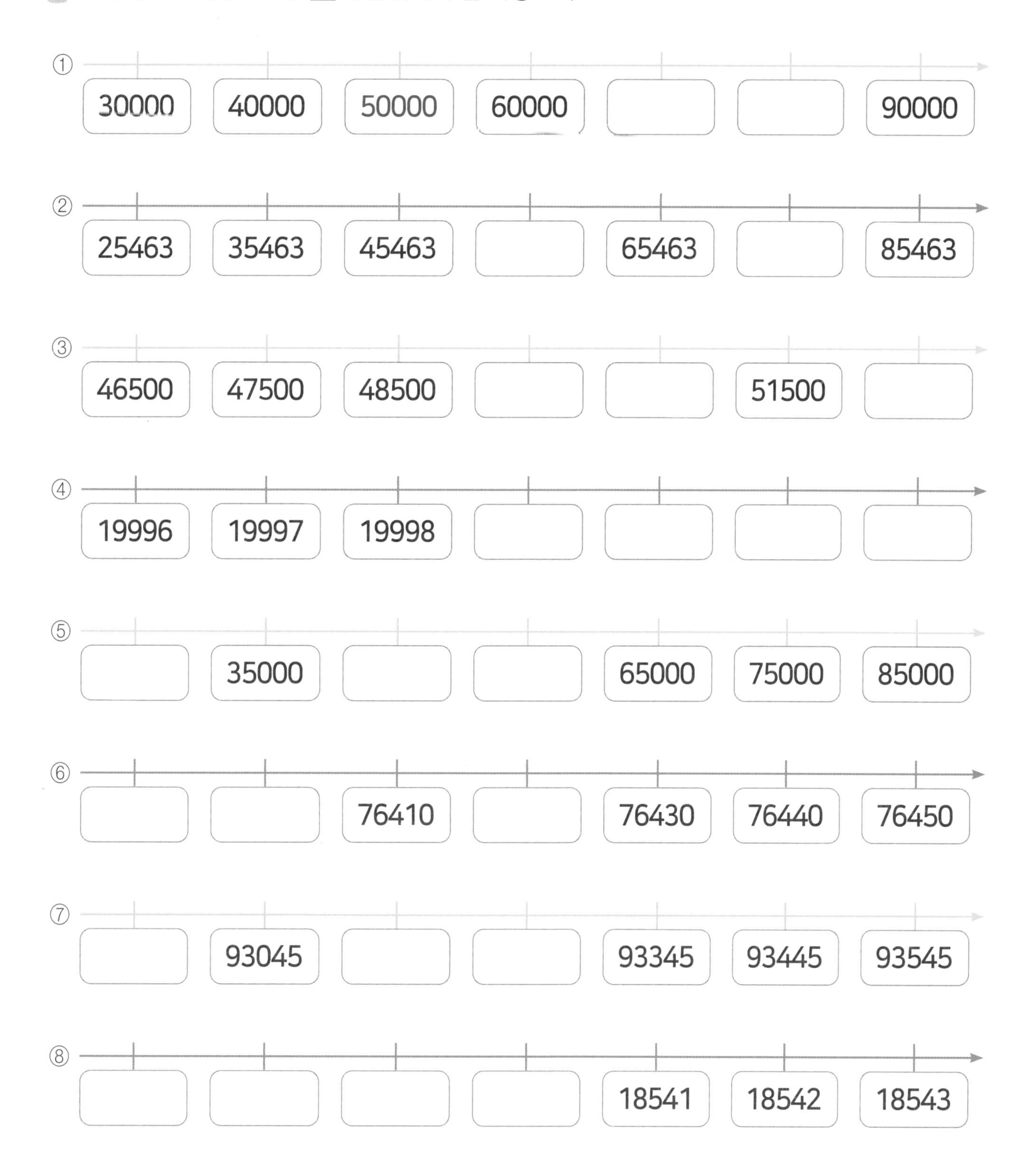

10배인 수

공부한 날 월 일

10000이 10개, 100개, 1000개인 수를 다음과 같이 나타내요.

동영상 해설

10000 →				1	0	0	0	0	만 = 1만	
10000이 10개이면			1	0	0	0	0	0	십만 = 10만	10배
10000이 100개이면		1	0	0	0	0	0	0	백만 = 100만	10배
10000이 1000개이면	1	0	0	0	0	0	0	0	천만 = 1000만	10배

어떤 수의 10배인 수는 뒤에 0을 한 개 붙인 수와 같습니다. 37의 10배인 수: 370

어떤 수의 100배인 수는 뒤에 0을 두 개 붙인 수와 같습니다. 37의 100배인 수: 3700

어떤 수의 1000배인 수는 뒤에 0을 세 개 붙인 수와 같습니다. 37의 1000배인 수: 37000

□에 알맞은 수를 써넣으세요.

(만 원)이 10장 있으면 10만 원　① 30만의 10배는 □

② (만 원)이 100장 있으면 □ 원　③ 200만의 10배는 □

④ (천 원)이 1000장 있으면 □ 원　⑤ 1만의 1000배는 □

□에 알맞은 수를 써넣으세요.

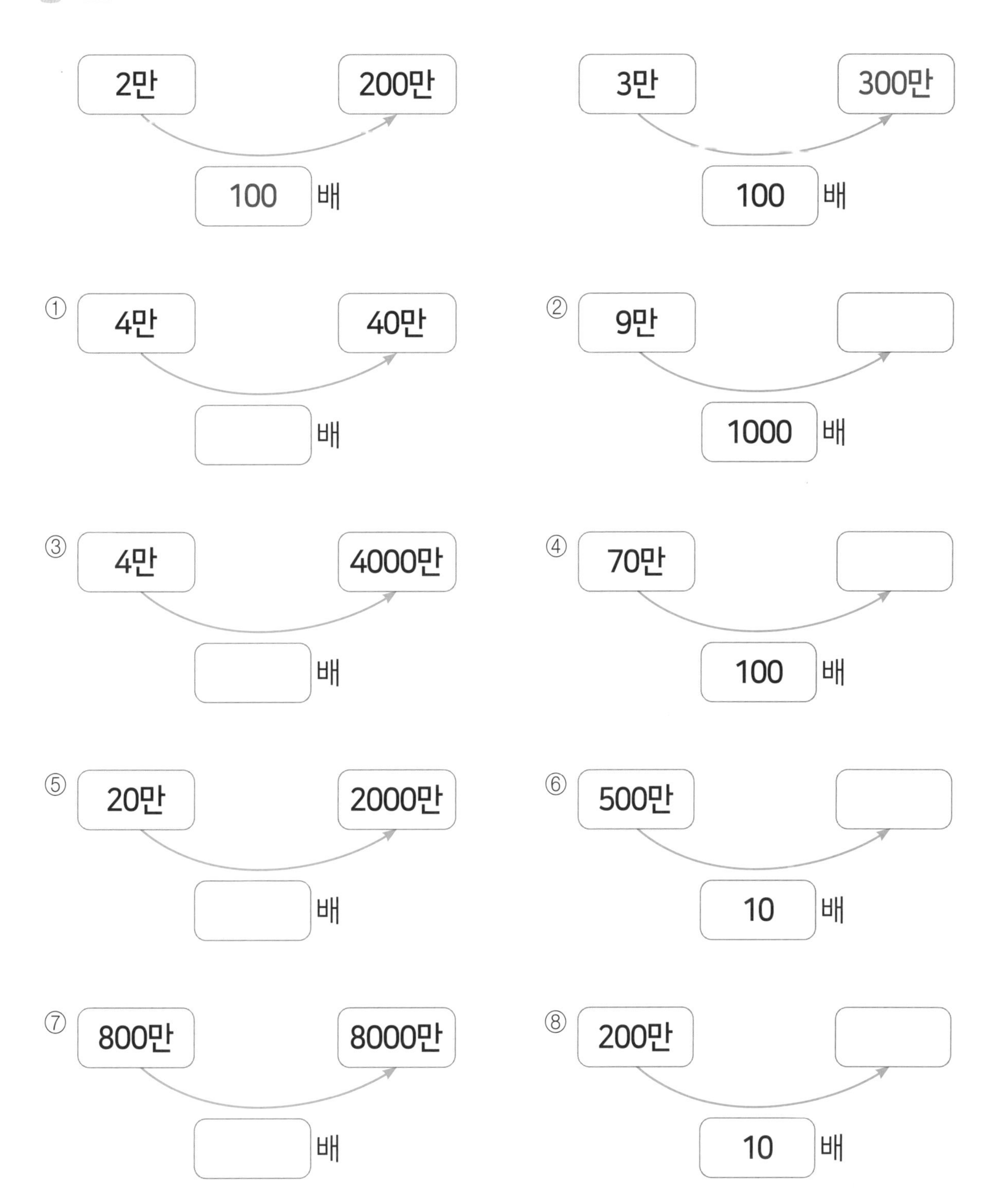

△표, ○표 한 숫자가 나타내는 값을 각각 쓰고, □에 알맞은 수를 써넣으세요.

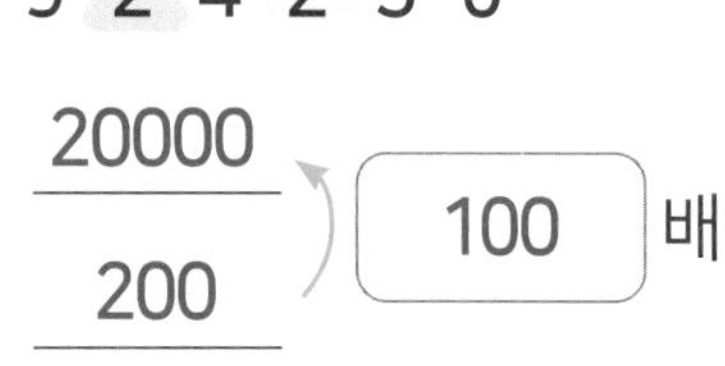

①

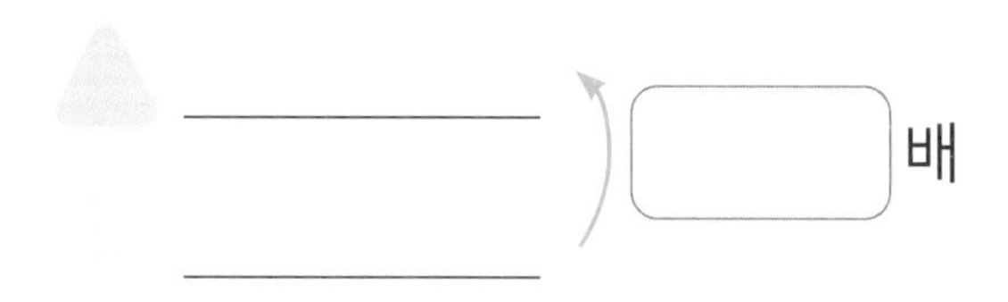

② 5 7 9 4 7 3

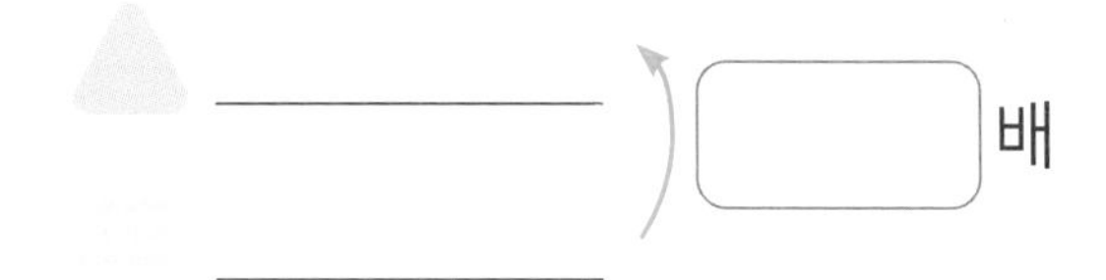

③ 7 6 7 4 3 8

④ 5 0 4 5 7 1

⑤ 1 5 7 1 9 4

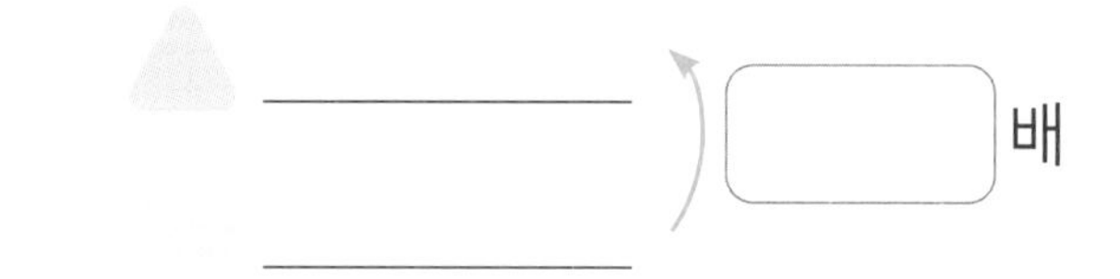

⑥ 9 0 4 3 9 7

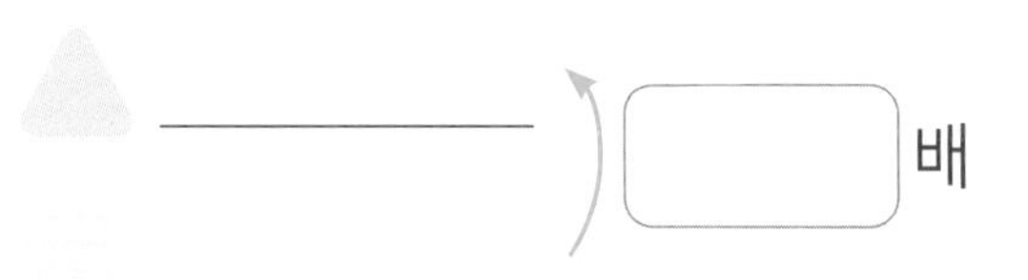

⑦ 5 8 9 4 8 7

______
______ □배

가장 큰 수에 ○표, 가장 작은 수에 △표 하세요.

490483	74859
596781	257497

①

5365471	2967741
4795934	837652

②

534791	539259
536537	530491

③

971591	3456723
1911753	3457921

④

53457	255841
365781	53472

⑤

974532	974517
367512	69751

⑥

785491	658751
433257	795142

⑦

295414	754264
754642	295427

△표 한 숫자가 나타내는 값을 쓰고, 가장 큰 수에 ◯표 하세요.

3 4 6 8 5	5 6 7 9 1	1 3 9 1 7	9 5 3 6 8
➡ 4000	➡ 90	➡ 10000	➡ 8
① 9 5 3 4 7	1 3 4 7 5	5 6 7 4 3	8 7 1 2 5
➡	➡	➡	➡
② 3 4 7 6 5	2 5 6 8 1	1 9 3 4 7	5 6 8 9 1
➡	➡	➡	➡
③ 2 4 6 1 8	7 9 3 4 1	5 7 1 9 4	1 9 5 3 4
➡	➡	➡	➡
④ 4 5 9 0 1	3 6 9 1 4	4 4 9 5 0	7 5 3 4 7
➡	➡	➡	➡
⑤ 1 0 4 9 3	3 6 7 5 8	6 1 4 9 0	5 9 5 4 7
➡	➡	➡	➡

두 수의 크기를 비교하여 ◯에 >, <를 알맞게 써넣으세요.

251의 10배 (<) 3500

251 = 200 + 50 + 1

↓ 10배

2510 = 2000 + 500 + 10

① 4만 ◯ 3510의 10배

② 47의 100배 ◯ 4750

③ 9만 ◯ 9500의 10배

④ 281의 10배 ◯ 2850

⑤ 3611 ◯ 35의 100배

⑥ 10만 ◯ 950의 100배

⑦ 75300 ◯ 7500의 10배

⑧ 373의 100배 ◯ 37400

⑨ 17의 1000배 ◯ 2만

⑩ 781의 100배 ◯ 8만

5일 문장제

글과 그림을 보고 □에 알맞은 수를 써넣고 답을 구하세요.

★ 천 원짜리 지폐 10장을 겹치는 부분 없이 한 줄로 이은 길이를 구하세요.

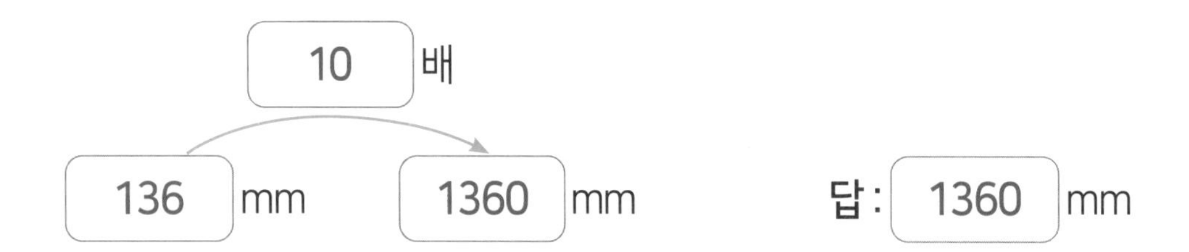

① 만 원짜리 지폐 100장을 겹치는 부분 없이 한 줄로 이은 길이를 구하세요.

□ 배

□ mm □ mm

답 : □ mm

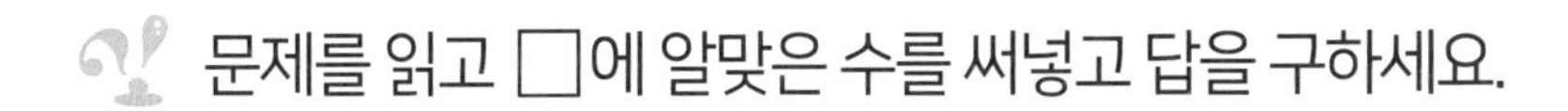
문제를 읽고 □에 알맞은 수를 써넣고 답을 구하세요.

① 동해시의 인구는 92000명이고 성남시의 인구는 동해시의 10배입니다. 성남시의 인구는 몇 명인가요?

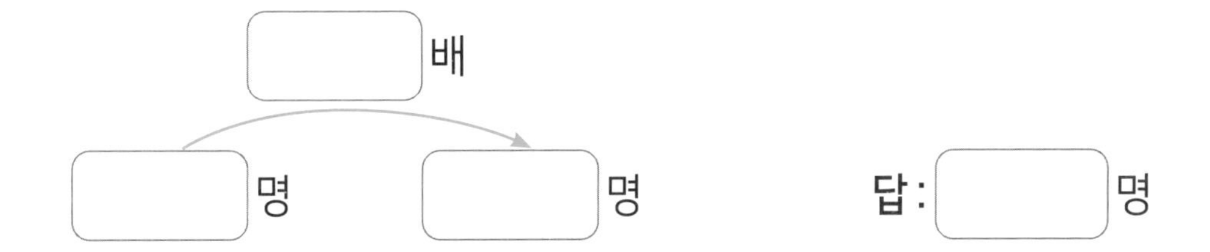

② 어떤 공장에서 장난감을 매일 41만 개씩 만듭니다. 이 공장에서 100일 동안 만든 장난감은 몇 개인가요?

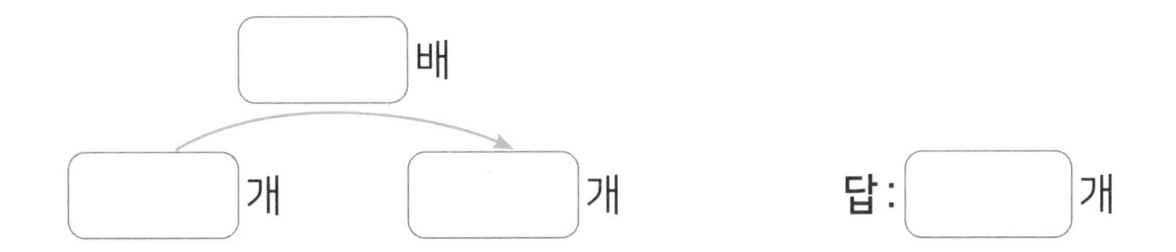

③ 가람이는 한 걸음에 51 cm씩 걷습니다. 가람이가 천 걸음 걸으면 몇 cm를 걷나요?

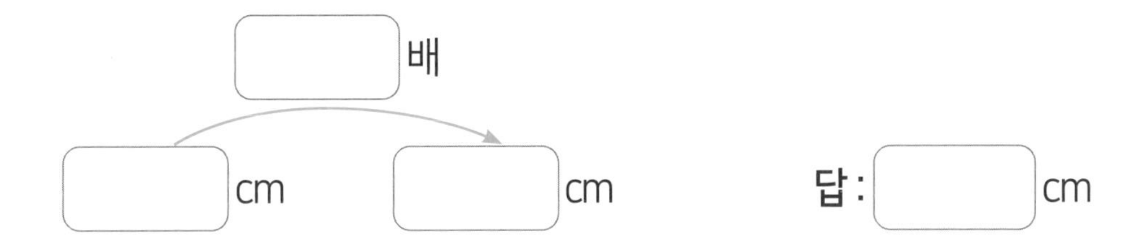

④ 사탕 한 개에 320원입니다. 사탕 1000개의 가격은 얼마인가요?

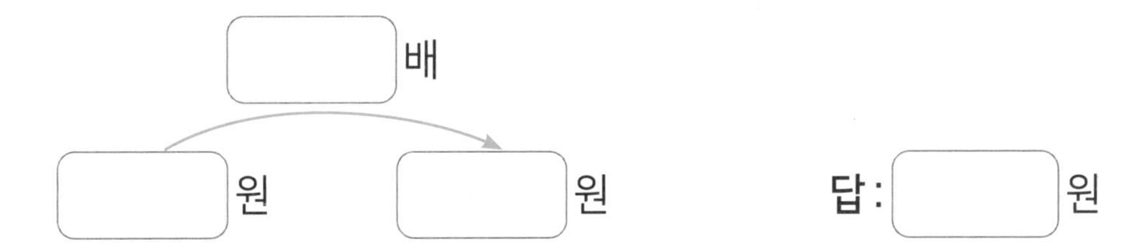

문제를 읽고 □에 알맞은 수를 써넣고 답을 구하세요.

① 한 상자에 성냥개비가 40개씩 들어 있습니다. 상자 천 개에 들어 있는 성냥개비는 몇 개인가요?

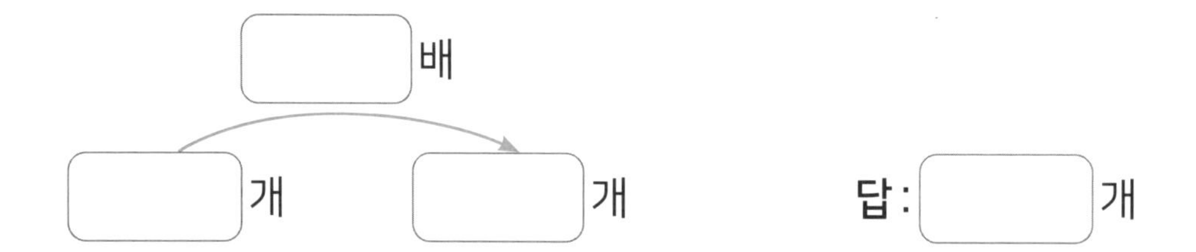

② 5만 원짜리 지폐 천 장으로 자동차를 샀습니다. 자동차의 가격은 얼마인가요?

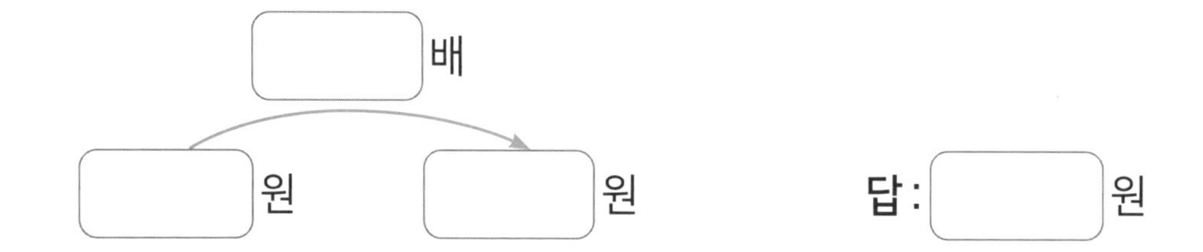

③ 지우개 1개의 높이는 12 mm입니다. 지우개 100개를 한 줄로 쌓은 높이는 몇 mm인가요?

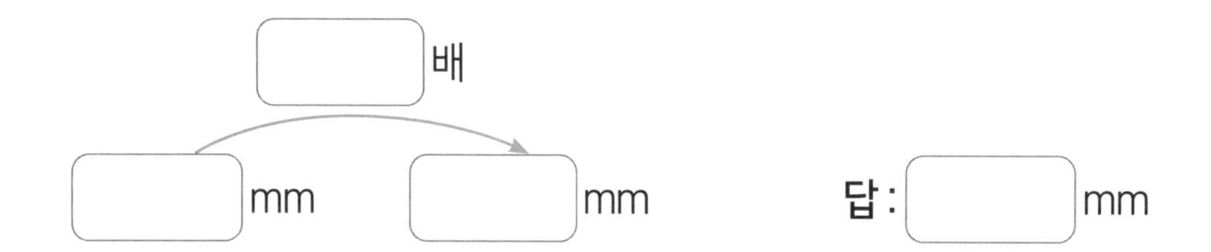

④ 빛은 1초에 30만 km를 갑니다. 빛이 100초 동안 가는 거리는 몇 km인가요?

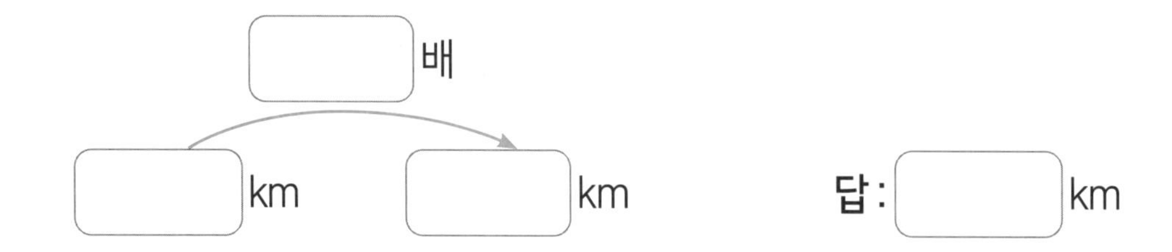

2주차

0으로 끝나는 곱셈

1일차에는 1주차에서 배운 10배, 100배, 1000배인 수의 개념을 이용하여 수에 10, 100, 1000을 곱한 수를 익힙니다. 그다음 아래 자리에 0이 많은 두 수의 곱셈을 계산하는 연습을 합니다.

(몇)×10, 100, 1000

공부한 날 월 일

□에 알맞은 수를 써넣으세요.

10배

- $32 \times 10 = 320$
- 32×10은 32의 10배와 같습니다.

100배

- $32 \times 100 = 3200$
- 32×100은 32의 100배와 같습니다.

① $76 \times 10 = \square$, $76 \times 100 = \square$

② $91 \times 10 = \square$, $91 \times 100 = \square$

③ $114 \times 10 = \square$, $114 \times 100 = \square$

④ $204 \times 10 = \square$, $204 \times 100 = \square$

⑤ $90 \times 10 = \square$, $90 \times 100 = \square$

⑥ $46 \times 10 = \square$, $46 \times 100 = \square$

⑦ $300 \times 10 = \square$, $300 \times 100 = \square$

⑧ $140 \times 10 = \square$, $140 \times 100 = \square$

□에 알맞은 수를 써넣으세요.

1000배

71 × 1000 = 71000

71 × 1000은 71의 1000배와 같습니다.

① 11 × 1000 = □, 11 × 100 = □

② 9 × 1000 = □, 9 × 100 = □

③ 26 × 1000 = □, 26 × 100 = □

④ 7 × 1000 = □, 7 × 100 = □

⑤ 14 × 1000 = □, 14 × 100 = □

⑥ 6 × 1000 = □, 6 × 100 = □

⑦ 24 × 1000 = □, 24 × 100 = □

⑧ 37 × 1000 = □, 37 × 100 = □

⑨ 5 × 1000 = □, 5 × 100 = □

계산을 하세요.

① $37 \times 100 =$

② $19 \times 1000 =$

③ $7 \times 1000 =$

④ $950 \times 100 =$

⑤ $475 \times 100 =$

⑥ $95 \times 100 =$

⑦ $39 \times 1000 =$

⑧ $9751 \times 10 =$

⑨ $430 \times 10 =$

⑩ $951 \times 1000 =$

⑪ $942 \times 100 =$

⑫ $900 \times 100 =$

⑬ $465 \times 10 =$

⑭ $26 \times 1000 =$

⑮ $3712 \times 10 =$

⑯ $8 \times 1000 =$

0으로 끝나지 않는 곱셈과 비교하기

□에 알맞은 수를 써넣으세요.

$3 \times 4 = $ 12
$300 \times 40 = $ 12000
× 1000

3 × 100 = 300, 4 × 10 = 40
→ 3 × 4 × 1000 = 12 × 1000 = 12000

① $9 \times 8 = $ □
$900 \times 80 = $ □
× □

② $9 \times 71 = $ □
$90 \times 710 = $ □
× □

③ $4 \times 53 = $ □
$400 \times 530 = $ □
× □

④ $8 \times 6 = $ □
$8 \times 6000 = $ □
× □

⑤ $5 \times 72 = $ □
$500 \times 720 = $ □
× □

⑥ $34 \times 7 = $ □
$3400 \times 70 = $ □
× □

⑦ $6 \times 3 = $ □
$6 \times 30000 = $ □
× □

관계있는 식을 선으로 이어 보고 □에 알맞은 수를 써넣으세요.

$4 \times 37 = \square$ •	• $400 \times 37 = \square$
$131 \times 7 = \square$ •	• $910 \times 340 = \square$
$91 \times 34 = \square$ •	• $1310 \times 7 = \square$
$31 \times 12 = \square$ •	• $3100 \times 12 = \square$

$3 \times 35 = \square$ •	• $90 \times 1700 = \square$
$6 \times 125 = \square$ •	• $3 \times 3500 = \square$
$13 \times 41 = \square$ •	• $130 \times 410 = \square$
$9 \times 17 = \square$ •	• $600 \times 125 = \square$

세로셈의 값을 이용해서 가로셈을 계산하세요.

$$\begin{array}{r} 34 \\ \times\ 12 \\ \hline 408 \end{array} \qquad \begin{array}{r} 24 \\ \times\ 31 \\ \hline \end{array} \qquad \begin{array}{r} 19 \\ \times\ \ 3 \\ \hline \end{array} \qquad \begin{array}{r} 48 \\ \times\ \ 7 \\ \hline \end{array}$$

$$\begin{array}{r} 134 \\ \times\ \ \ 4 \\ \hline \end{array} \qquad \begin{array}{r} 352 \\ \times\ \ \ 6 \\ \hline \end{array} \qquad \begin{array}{r} 19 \\ \times\ 53 \\ \hline \end{array} \qquad \begin{array}{r} 281 \\ \times\ \ \ 7 \\ \hline \end{array}$$

340 × 1200 = 408000
34 × 12 × 1000 = 340 × 1200

① 4800 × 70 =

② 24 × 3100 =

③ 1340 × 40 =

④ 3520 × 600 =

⑤ 281 × 700 =

⑥ 190 × 5300 =

⑦ 1900 × 30 =

0으로 끝나는 곱셈

계산을 하세요.

① $300 \times 70 =$

② $90 \times 600 =$

③ $70 \times 500 =$

④ $900 \times 40 =$

⑤ $800 \times 70 =$

⑥ $700 \times 60 =$

⑦ $300 \times 80 =$

⑧ $50 \times 400 =$

⑨ $400 \times 70 =$

⑩ $80 \times 900 =$

⑪ $500 \times 20 =$

⑫ $90 \times 700 =$

⑬ $300 \times 40 =$

⑭ $20 \times 900 =$

⑮ $900 \times 70 =$

⑯ $500 \times 50 =$

같은 줄의 곱셈식 중에서 값이 가장 큰 곱셈식에 ◯표, 가장 작은 곱셈식에 △표 하세요.

50×900	20×3000	50×200	90×600
30×700	80×3000	20×3000	90×600
80×900	40×2000	30×900	600×60
500×900	80×9000	900×300	2000×300
700×500	300×900	200×1000	300×700
700×300	60×2000	50×6000	500×200

□에 알맞은 수를 써넣으세요.

① $300 \times \square = 210000$

② $70 \times \square = 28000$

③ $\square \times 500 = 250000$

④ $900 \times \square = 72000$

⑤ $6000 \times \square = 180000$

⑥ $\square \times 80 = 64000$

⑦ $\square \times 50 = 35000$

⑧ $\square \times 800 = 480000$

⑨ $700 \times \square = 63000$

⑩ $500 \times \square = 200000$

⑪ $\square \times 800 = 400000$

⑫ $9000 \times \square = 3600000$

⑬ $\square \times 60 = 300000$

⑭ $800 \times \square = 720000$

어림하기

식의 값이 왼쪽 식의 값과 가장 가까운 곱셈식에 ◯표 하세요.

297 × 61 — 300 × 60 (◯)　200 × 70　300 × 70　200 × 60

가장 가까운 몇십, 몇백으로 어림하여 식의 값이 몇인지 어림할 수 있습니다.
297을 300으로, 61을 60으로 어림하면, 297 × 61은 300 × 60으로 어림할 수 있습니다.

① 402 × 89 — 400 × 80　500 × 80　400 × 90　500 × 90

② 705 × 48 — 700 × 40　800 × 40　700 × 50　800 × 50

③ 596 × 41 — 600 × 40　500 × 40　600 × 50　500 × 50

④ 405 × 91 — 400 × 90　400 × 100　500 × 90　500 × 100

⑤ 803 × 59 — 900 × 60　900 × 50　800 × 60　800 × 50

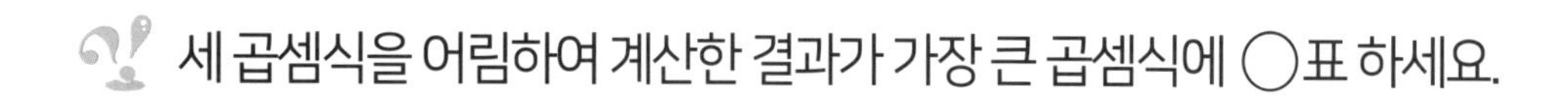

세 곱셈식을 어림하여 계산한 결과가 가장 큰 곱셈식에 ◯표 하세요.

①	41 × 903	6 × 5001	898 × 21
②	702 × 801	903 × 597	79 × 1999
③	59 × 997	61 × 302	398 × 71
④	49 × 697	7013 × 3	709 × 398
⑤	592 × 398	294 × 507	61 × 1983
⑥	903 × 495	697 × 407	492 × 203

식의 값에 가장 가까운 수에 ◯표 하세요.

① 391×41

16000　1600　12000　1200

② 894×51

4500　45000　40000　4000

③ 797×39

32000　3200　2400　24000

④ 81×596

45000　4500　48000　4800

⑤ 797×31

2100　24000　21000　2400

⑥ 69×402

3500　2800　35000　28000

문장제

글과 그림을 보고 물음에 알맞은 식과 답을 써 보세요.

수박과 귤이 6개씩 있습니다.

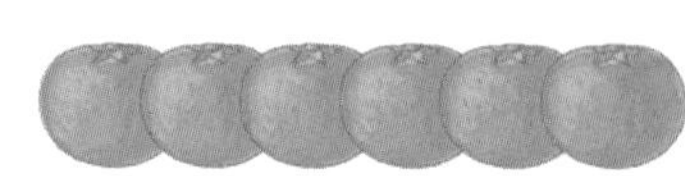

★ 수박 1개를 사는 데 1000원짜리 지폐 15장이 필요합니다. 수박 6개를 사려면 1000원짜리 지폐 몇 장이 필요한가요?

식 : $15 \times 6 = 90$ 답 : 90 장

★ 수박 6개를 사려면 얼마를 내야 되나요?

식 : $15000 \times 6 = 90000$ 답 : 90000 원

① 귤 1개를 사는 데 100원짜리 동전 12개가 필요합니다. 귤 6개를 사려면 100원짜리 동전 몇 개가 필요한가요?

식 : ______________________ 답 : ________ 개

② 귤 6개를 사려면 얼마를 내야 되나요?

식 : ______________________ 답 : ________ 원

문제를 읽고 물음에 알맞은 식과 답을 써 보세요.

① 연필이 한 자루에 300원입니다. 연필 80자루를 사려면 얼마를 내야 되나요?

식 : ____________________ 답 : __________ 원

② 색종이 한 묶음에 색종이가 40장씩 들어 있습니다. 색종이 800 묶음에는 색종이가 모두 몇 장 들어 있나요?

식 : ____________________ 답 : __________ 장

③ 수학 문제집 한 쪽에 수학 문제가 30개씩 있습니다. 수학 문제집 400쪽에는 수학 문제가 모두 몇 개 있나요?

식 : ____________________ 답 : __________ 개

④ 물병 하나에 물이 3000 mL씩 들어 있습니다. 물병 800개에 물이 모두 몇 mL 들어 있나요?

식 : ____________________ 답 : __________ mL

문제를 읽고 물음에 알맞은 식과 답을 써 보세요.

① 박물관 입장료는 한 사람당 5000원입니다. 20명이 박물관에 입장하려면 얼마를 내야 되나요?

식 : ______________________ 답 : __________ 원

② 민호네 학교 학생 300명은 일 년 동안 각각 80권씩 책을 읽었습니다. 민호네 학교 학생들이 일 년 동안 읽은 책은 모두 몇 권인가요?

식 : ______________________ 답 : __________ 권

③ 정수네 농장에서 닭을 기르는데 하루에 달걀을 7000개씩 낳는다고 합니다. 40일 동안 닭들이 낳은 달걀은 모두 몇 개인가요?

식 : ______________________ 답 : __________ 개

④ 민영이는 4월 한 달 동안 하루에 4000 m씩 매일 산책을 했습니다. 민영이가 산책을 한 거리는 모두 몇 m인가요?

식 : ______________________ 답 : __________ m

3주차

도전! 계산왕

0으로 끝나는 곱셈

공부한 날	월 일
점수	/16

계산을 하세요.

① $5 \times 1000 =$

② $800 \times 20 =$

③ $826 \times 100 =$

④ $3212 \times 10 =$

⑤ $700 \times 90 =$

⑥ $950 \times 100 =$

⑦ $30 \times 800 =$

⑧ $400 \times 90 =$

⑨ $823 \times 100 =$

⑩ $80 \times 800 =$

⑪ $89 \times 1000 =$

⑫ $600 \times 80 =$

⑬ $7652 \times 10 =$

⑭ $271 \times 1000 =$

⑮ $50 \times 400 =$

⑯ $600 \times 80 =$

0으로 끝나는 곱셈

공부한 날	월 일
점수	/16

계산을 하세요.

① $600 \times 70 =$

② $923 \times 10 =$

③ $78 \times 1000 =$

④ $200 \times 60 =$

⑤ $300 \times 90 =$

⑥ $77 \times 100 =$

⑦ $300 \times 80 =$

⑧ $891 \times 10 =$

⑨ $200 \times 50 =$

⑩ $60 \times 900 =$

⑪ $50 \times 1000 =$

⑫ $682 \times 1000 =$

⑬ $700 \times 50 =$

⑭ $90 \times 800 =$

⑮ $990 \times 100 =$

⑯ $7217 \times 10 =$

0으로 끝나는 곱셈

공부한 날 월 일
점수 /16

계산을 하세요.

① $682 \times 100 =$

② $51 \times 10 =$

③ $800 \times 50 =$

④ $89 \times 1000 =$

⑤ $40 \times 800 =$

⑥ $300 \times 50 =$

⑦ $852 \times 100 =$

⑧ $5572 \times 10 =$

⑨ $100 \times 100 =$

⑩ $400 \times 50 =$

⑪ $50 \times 500 =$

⑫ $781 \times 1000 =$

⑬ $300 \times 70 =$

⑭ $81 \times 1000 =$

⑮ $600 \times 60 =$

⑯ $80 \times 700 =$

2일 ❷

0으로 끝나는 곱셈

공부한 날	월 일
점수	/16

계산을 하세요.

① $10 \times 1000 =$

② $81 \times 100 =$

③ $500 \times 90 =$

④ $600 \times 50 =$

⑤ $745 \times 1000 =$

⑥ $700 \times 70 =$

⑦ $2901 \times 10 =$

⑧ $50 \times 800 =$

⑨ $139 \times 100 =$

⑩ $80 \times 900 =$

⑪ $200 \times 90 =$

⑫ $6980 \times 100 =$

⑬ $3801 \times 10 =$

⑭ $60 \times 800 =$

⑮ $40 \times 800 =$

⑯ $79 \times 100 =$

0으로 끝나는 곱셈

공부한 날	월 일
점수	/16

계산을 하세요.

① $50 \times 300 =$

② $600 \times 50 =$

③ $86 \times 100 =$

④ $400 \times 90 =$

⑤ $900 \times 500 =$

⑥ $501 \times 1000 =$

⑦ $80 \times 300 =$

⑧ $9011 \times 10 =$

⑨ $70 \times 800 =$

⑩ $90 \times 700 =$

⑪ $671 \times 1000 =$

⑫ $52 \times 100 =$

⑬ $5481 \times 10 =$

⑭ $491 \times 100 =$

⑮ $20 \times 500 =$

⑯ $800 \times 60 =$

0으로 끝나는 곱셈

공부한 날	월 일
점수	/16

계산을 하세요.

① $40 \times 900 =$

② $581 \times 100 =$

③ $500 \times 30 =$

④ $600 \times 90 =$

⑤ $1119 \times 10 =$

⑥ $899 \times 100 =$

⑦ $80 \times 400 =$

⑧ $851 \times 1000 =$

⑨ $58 \times 1000 =$

⑩ $50 \times 900 =$

⑪ $70 \times 300 =$

⑫ $782 \times 100 =$

⑬ $300 \times 80 =$

⑭ $40 \times 400 =$

⑮ $60 \times 500 =$

⑯ $8000 \times 10 =$

0으로 끝나는 곱셈

공부한 날	월 일
점수	/16

계산을 하세요.

① $300 \times 90 =$

② $8905 \times 10 =$

③ $6610 \times 100 =$

④ $70 \times 400 =$

⑤ $700 \times 50 =$

⑥ $49 \times 1000 =$

⑦ $90 \times 300 =$

⑧ $768 \times 100 =$

⑨ $800 \times 80 =$

⑩ $50 \times 400 =$

⑪ $467 \times 10 =$

⑫ $60 \times 200 =$

⑬ $841 \times 1000 =$

⑭ $90 \times 600 =$

⑮ $8314 \times 100 =$

⑯ $201 \times 1000 =$

4일 ❷

0으로 끝나는 곱셈

공부한 날	월 일
점수	/16

계산을 하세요.

① $901 \times 10 =$

② $30 \times 500 =$

③ $500 \times 90 =$

④ $9011 \times 10 =$

⑤ $70 \times 500 =$

⑥ $2230 \times 100 =$

⑦ $800 \times 70 =$

⑧ $6677 \times 10 =$

⑨ $300 \times 90 =$

⑩ $90 \times 400 =$

⑪ $581 \times 100 =$

⑫ $40 \times 600 =$

⑬ $200 \times 60 =$

⑭ $48 \times 1000 =$

⑮ $700 \times 90 =$

⑯ $80 \times 600 =$

0으로 끝나는 곱셈

공부한 날	월 일
점수	/16

계산을 하세요.

① $12 \times 1000 =$

② $29 \times 100 =$

③ $50 \times 800 =$

④ $60 \times 900 =$

⑤ $8212 \times 10 =$

⑥ $700 \times 50 =$

⑦ $600 \times 70 =$

⑧ $8 \times 1000 =$

⑨ $894 \times 100 =$

⑩ $900 \times 50 =$

⑪ $500 \times 80 =$

⑫ $4541 \times 100 =$

⑬ $8800 \times 10 =$

⑭ $90 \times 900 =$

⑮ $400 \times 70 =$

⑯ $38 \times 100 =$

0으로 끝나는 곱셈

공부한 날	월 일
점수	/16

계산을 하세요.

① $400 \times 80 =$

② $1192 \times 10 =$

③ $70 \times 800 =$

④ $9781 \times 100 =$

⑤ $900 \times 20 =$

⑥ $40 \times 500 =$

⑦ $77 \times 1000 =$

⑧ $521 \times 100 =$

⑨ $600 \times 30 =$

⑩ $40 \times 500 =$

⑪ $751 \times 10 =$

⑫ $90 \times 800 =$

⑬ $506 \times 1000 =$

⑭ $50 \times 700 =$

⑮ $5590 \times 100 =$

⑯ $81 \times 1000 =$

MEMO

4주차

(세 자리 수)×(두 자리 수)

2주차의 0이 있는 곱셈의 내용을 이용해서 3학년 단계의 (세 자리 수)×(한 자리 수) 곱셈의 확장으로 (세 자리 수)×(몇십)을 먼저 연습합니다. 그다음 일반적인 (세 자리 수)×(두 자리 수) 연산을 연습합니다.

(세 자리 수)×(몇십)

공부한 날 월 일

세로셈으로 계산하세요.

①

	4	9	1
×			2

②

	9	0	4
×			6

③

	4	6	8
×			3

④

	1	0	5
×			4

⑤

	8	1	4
×			7

⑥

	7	5	3
×			6

⑦

	5	3	4
×			4

⑧

	5	6	7
×			4

⑨

	4	4	7
×			7

⑩

	8	0	9
×			9

⑪

	5	1	3
×			2

⑫

	8	7	3
×			7

세로셈을 이용하여 가로셈을 계산하세요.

$$\begin{array}{r} 725 \\ \times \quad 3 \\ \hline 2175 \end{array}$$

10배

➡ 725 × 30 = 21750

10배

① 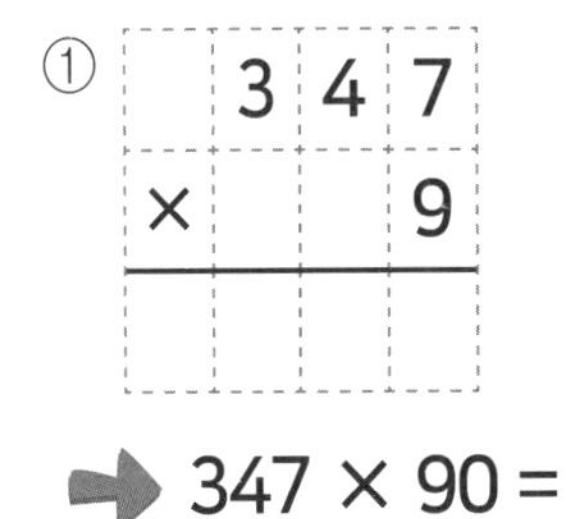

$$\begin{array}{r} 347 \\ \times \quad 9 \\ \hline \end{array}$$

➡ 347 × 90 =

② $$\begin{array}{r} 279 \\ \times \quad 4 \\ \hline \end{array}$$

➡ 279 × 40 =

③ 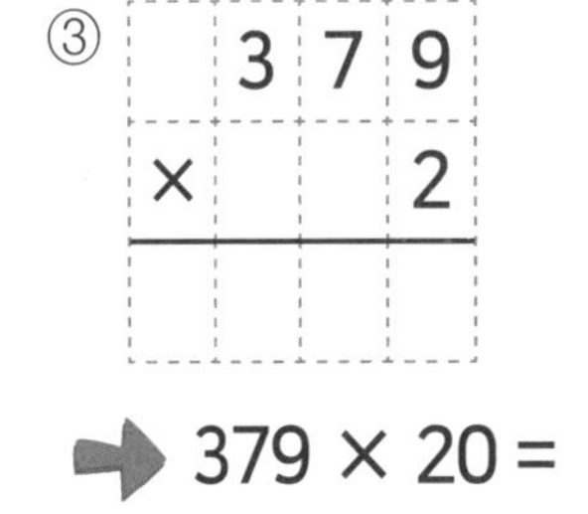

$$\begin{array}{r} 379 \\ \times \quad 2 \\ \hline \end{array}$$

➡ 379 × 20 =

④ $$\begin{array}{r} 553 \\ \times \quad 5 \\ \hline \end{array}$$

➡ 553 × 50 =

⑤ $$\begin{array}{r} 923 \\ \times \quad 6 \\ \hline \end{array}$$

➡ 923 × 60 =

⑥ $$\begin{array}{r} 174 \\ \times \quad 8 \\ \hline \end{array}$$

➡ 174 × 80 =

⑦ $$\begin{array}{r} 625 \\ \times \quad 3 \\ \hline \end{array}$$

➡ 625 × 30 =

⑧ $$\begin{array}{r} 293 \\ \times \quad 7 \\ \hline \end{array}$$

➡ 293 × 70 =

⑨ $$\begin{array}{r} 758 \\ \times \quad 4 \\ \hline \end{array}$$

➡ 758 × 40 =

계산 결과에 알맞게 선을 이어 보세요.

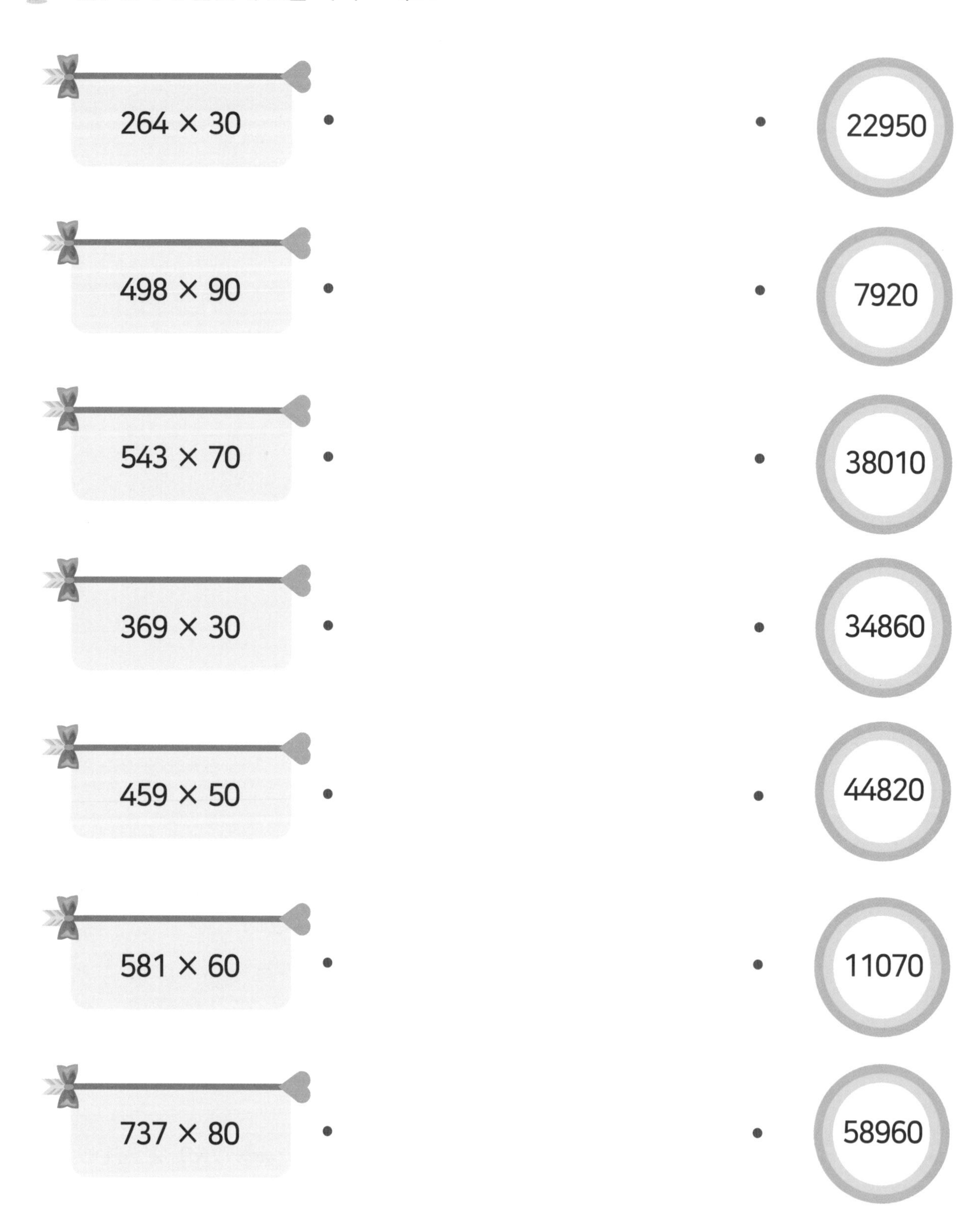

2일 (세 자리 수)×(두 자리 수)

공부한 날 월 일

동영상 해설

□에 알맞은 수를 써넣으세요.

$130 \times 50 = \boxed{6500}$
$+$
$130 \times 7 = \boxed{910}$
$=$
$130 \times 57 = \boxed{7410}$ 6500 + 910 = 7410

① $970 \times 30 = \square$
$+$
$970 \times 6 = \square$
$=$
$970 \times 36 = \square$

② $460 \times 40 = \square$
$+$
$460 \times 1 = \square$
$=$
$460 \times 41 = \square$

③ $530 \times 90 = \square$
$+$
$530 \times 3 = \square$
$=$
$530 \times 93 = \square$

④ $260 \times 20 = \square$
$+$
$260 \times 3 = \square$
$=$
$260 \times 23 = \square$

⑤ $720 \times 40 = \square$
$+$
$720 \times 4 = \square$
$=$
$720 \times 44 = \square$

⑥ $570 \times 50 = \square$
$+$
$570 \times 4 = \square$
$=$
$570 \times 54 = \square$

⑦ $840 \times 30 = \square$
$+$
$840 \times 9 = \square$
$=$
$840 \times 39 = \square$

□에 알맞은 수를 써넣으세요.

$274 \times 30 =$ 8220
+
$274 \times 6 =$ 1644
=
$274 \times 36 =$ 9864

8220 + 1644 = 9864

① $485 \times 80 =$ □
+
$485 \times 3 =$ □
=
$485 \times 83 =$ □

② $467 \times 60 =$ □
+
$467 \times 2 =$ □
=
$467 \times 62 =$ □

③ $754 \times 50 =$ □
+
$754 \times 4 =$ □
=
$754 \times 54 =$ □

④ $267 \times 20 =$ □
+
$267 \times 2 =$ □
=
$267 \times 22 =$ □

⑤ $628 \times 90 =$ □
+
$628 \times 6 =$ □
=
$628 \times 96 =$ □

⑥ $124 \times 30 =$ □
+
$124 \times 6 =$ □
=
$124 \times 36 =$ □

⑦ $840 \times 40 =$ □
+
$840 \times 8 =$ □
=
$840 \times 48 =$ □

세로셈으로 계산하세요.

$$\begin{array}{r} 426 \\ \times \quad 43 \\ \hline 1278 \end{array}$$

426×3을 계산합니다.

$$\begin{array}{r} 426 \\ \times \quad 43 \\ \hline 1278 \\ 17040 \end{array}$$

426×40을 계산해서 자리를 맞추어 씁니다.

$$\begin{array}{r} 426 \\ \times \quad 43 \\ \hline 1278 \\ 1704 \\ \hline 18318 \end{array}$$

두 계산 결과를 더합니다.

① 343×56

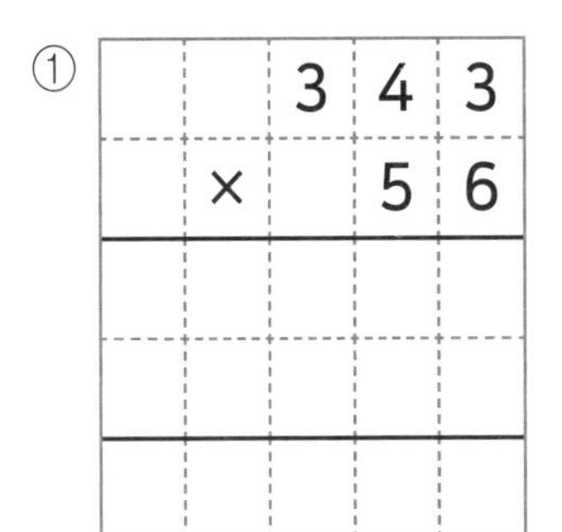

② 291×13

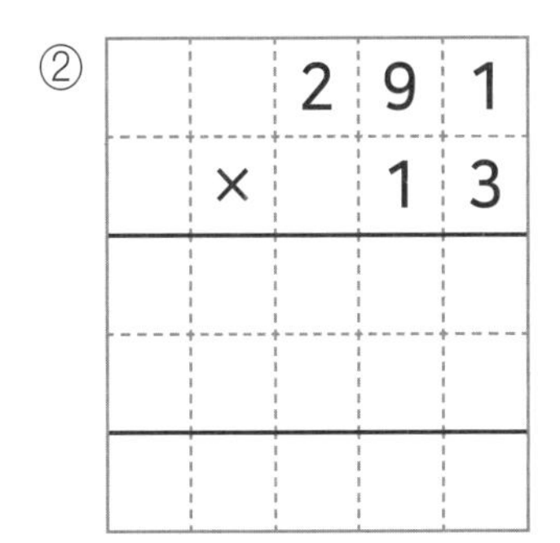

③ 747×43

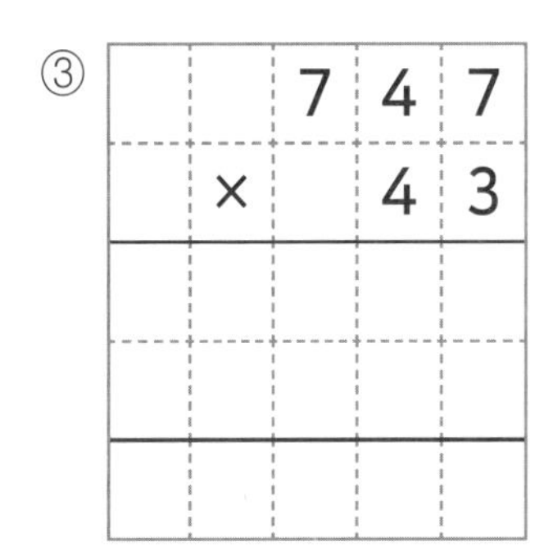

④ 912×73

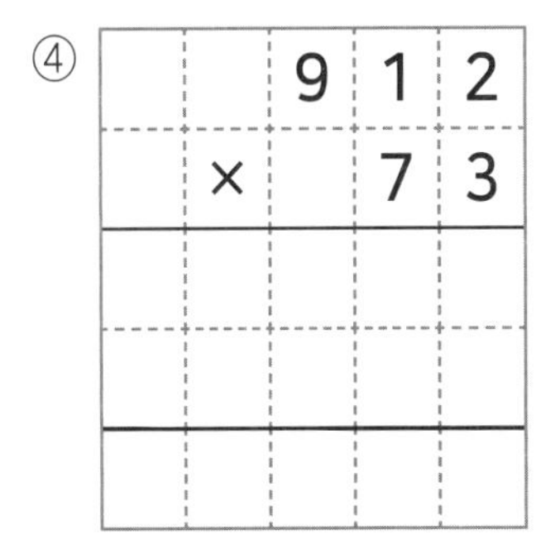

⑤ 519×95

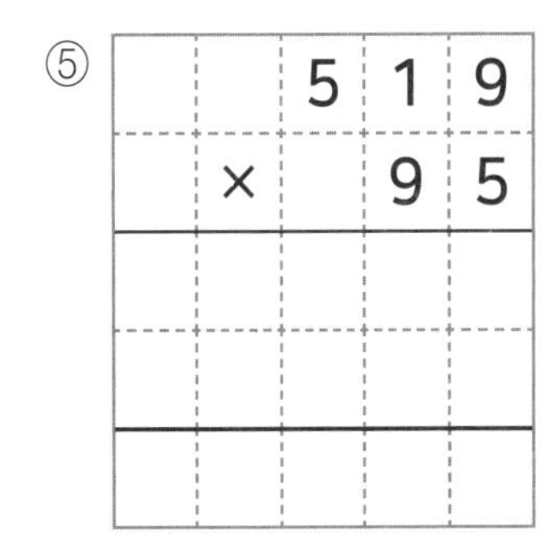

⑥ 693×28

⑦ 196×64

⑧ 519×37

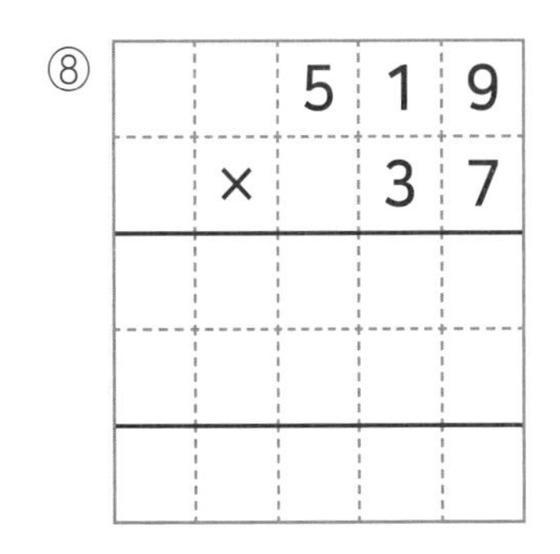

⑨ 962×34

세로셈 연습

공부한 날 월 일

세로셈으로 계산하세요.

① 716×20

② 692×51

③ 533×82

④
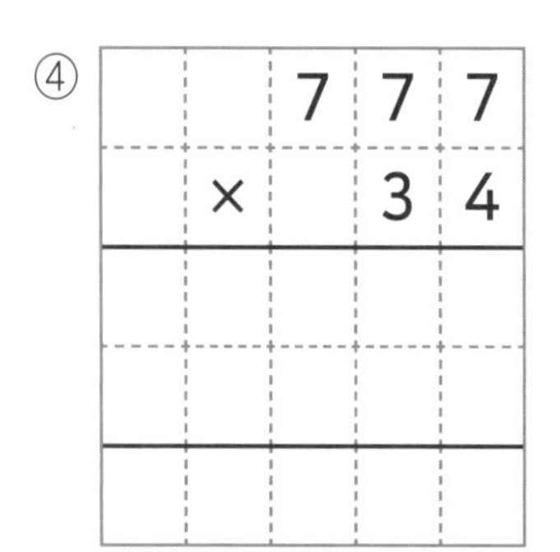

⑤
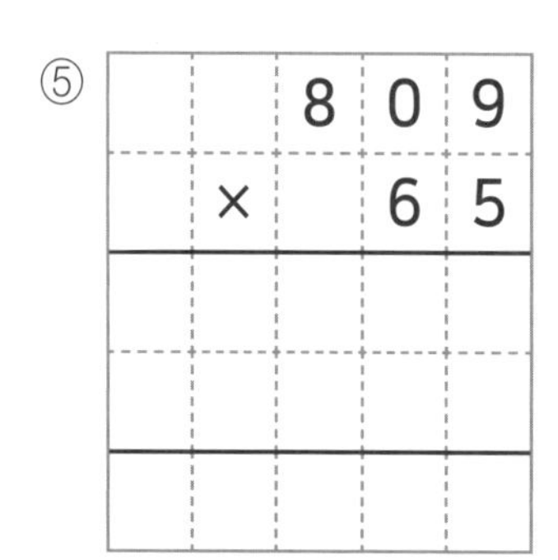

⑥
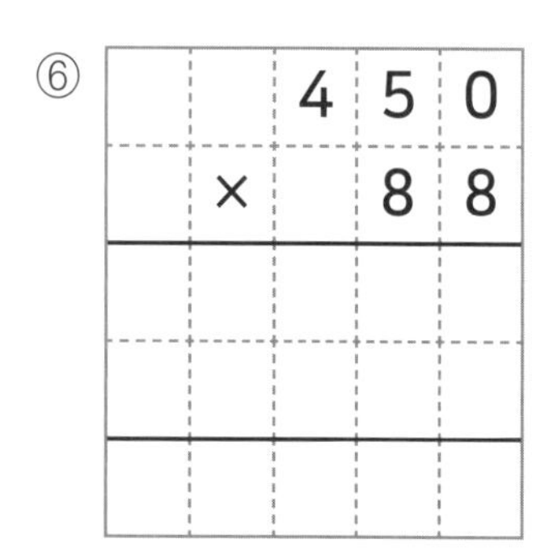

⑦
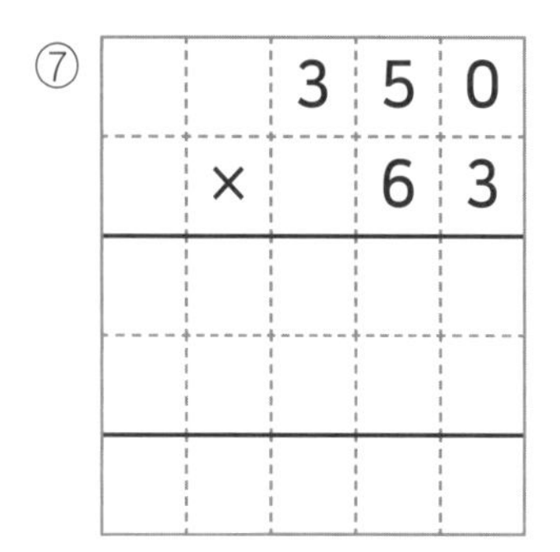

⑧
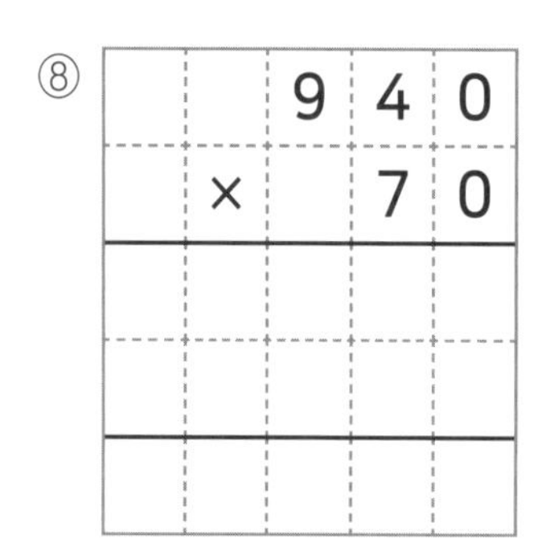

⑨ 639×69

⑩ 504×96

⑪
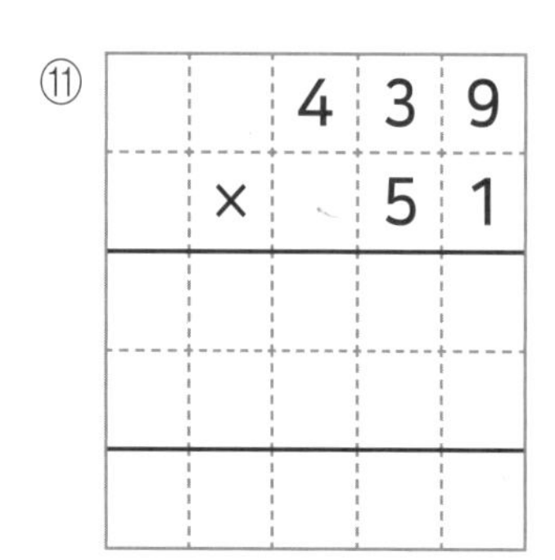

⑫
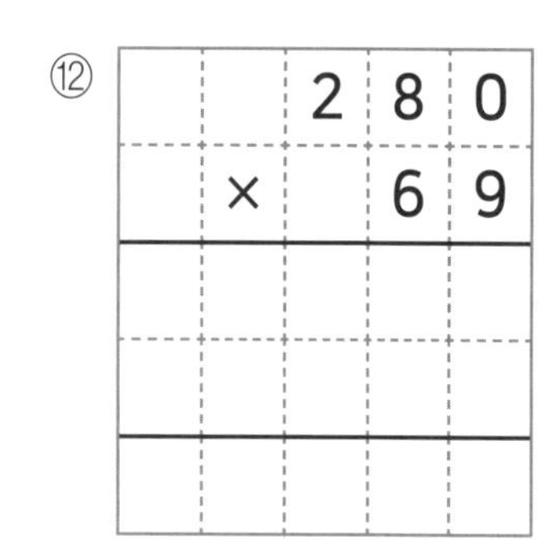

세로셈으로 계산하세요.

① $\begin{array}{r} 467 \\ \times \quad 80 \\ \hline \end{array}$

② $\begin{array}{r} 629 \\ \times \quad 30 \\ \hline \end{array}$

③ $\begin{array}{r} 725 \\ \times \quad 62 \\ \hline \end{array}$

④ $\begin{array}{r} 590 \\ \times \quad 77 \\ \hline \end{array}$

⑤ $\begin{array}{r} 589 \\ \times \quad 49 \\ \hline \end{array}$

⑥ $\begin{array}{r} 721 \\ \times \quad 50 \\ \hline \end{array}$

⑦ $\begin{array}{r} 609 \\ \times \quad 74 \\ \hline \end{array}$

⑧ $\begin{array}{r} 915 \\ \times \quad 66 \\ \hline \end{array}$

⑨ $\begin{array}{r} 875 \\ \times \quad 48 \\ \hline \end{array}$

⑩ $\begin{array}{r} 693 \\ \times \quad 53 \\ \hline \end{array}$

⑪ $\begin{array}{r} 806 \\ \times \quad 90 \\ \hline \end{array}$

⑫ $\begin{array}{r} 573 \\ \times \quad 46 \\ \hline \end{array}$

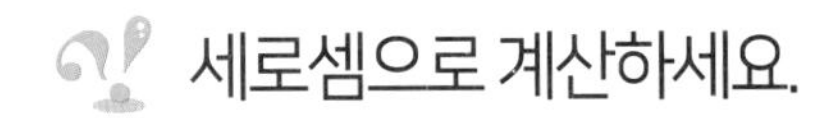

세로셈으로 계산하세요.

① $\begin{array}{r} 820 \\ \times \quad 94 \\ \hline \end{array}$

② $\begin{array}{r} 485 \\ \times \quad 56 \\ \hline \end{array}$

③ $\begin{array}{r} 704 \\ \times \quad 85 \\ \hline \end{array}$

④ $\begin{array}{r} 563 \\ \times \quad 78 \\ \hline \end{array}$

⑤ $\begin{array}{r} 874 \\ \times \quad 65 \\ \hline \end{array}$

⑥ $\begin{array}{r} 903 \\ \times \quad 99 \\ \hline \end{array}$

⑦ $\begin{array}{r} 758 \\ \times \quad 40 \\ \hline \end{array}$

⑧ $\begin{array}{r} 249 \\ \times \quad 57 \\ \hline \end{array}$

⑨ $\begin{array}{r} 647 \\ \times \quad 89 \\ \hline \end{array}$

⑩ $\begin{array}{r} 671 \\ \times \quad 80 \\ \hline \end{array}$

⑪ $\begin{array}{r} 594 \\ \times \quad 48 \\ \hline \end{array}$

⑫ $\begin{array}{r} 448 \\ \times \quad 89 \\ \hline \end{array}$

연산 퍼즐

기차가 달린 시간과 1초 동안 달리는 거리를 곱해서 기차가 달린 거리를 구하세요.

① 기차가 달린 시간 : 256초
1초 동안 달리는 거리 : 63 m
m

② : 427초
: 72 m
m

③ : 384초
: 59 m
m

④ : 618초
: 37 m
m

⑤ : 509초
: 82 m
m

⑥ : 193초
: 68 m
m

⑦ : 280초
: 54 m
m

⑧ : 725초
: 65 m
m

⑨ : 649초
: 43 m
m

⑩ : 807초
: 76 m
m

⑪ : 752초
: 73 m
m

같은 줄에서 식의 값이 가장 큰 식에 ◯표 하세요.

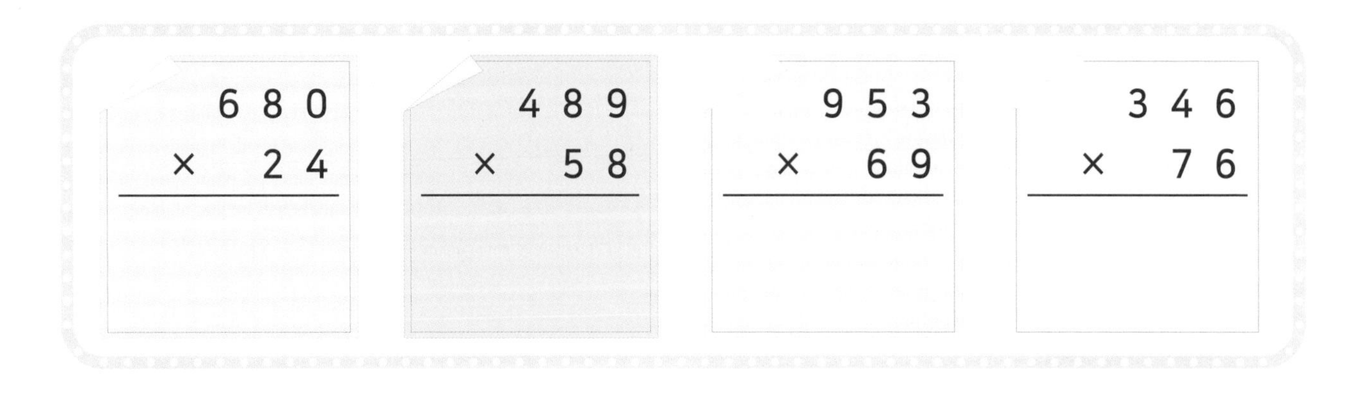

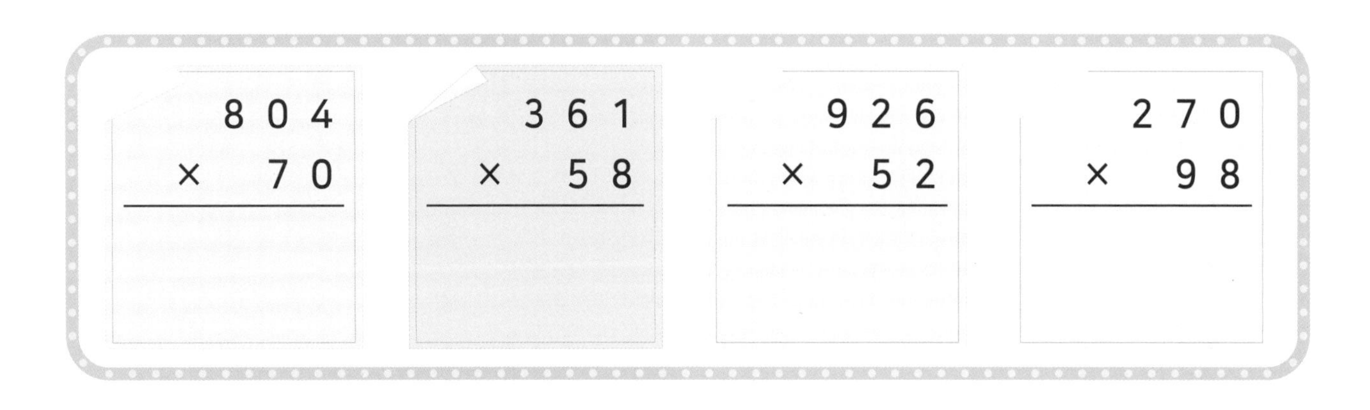

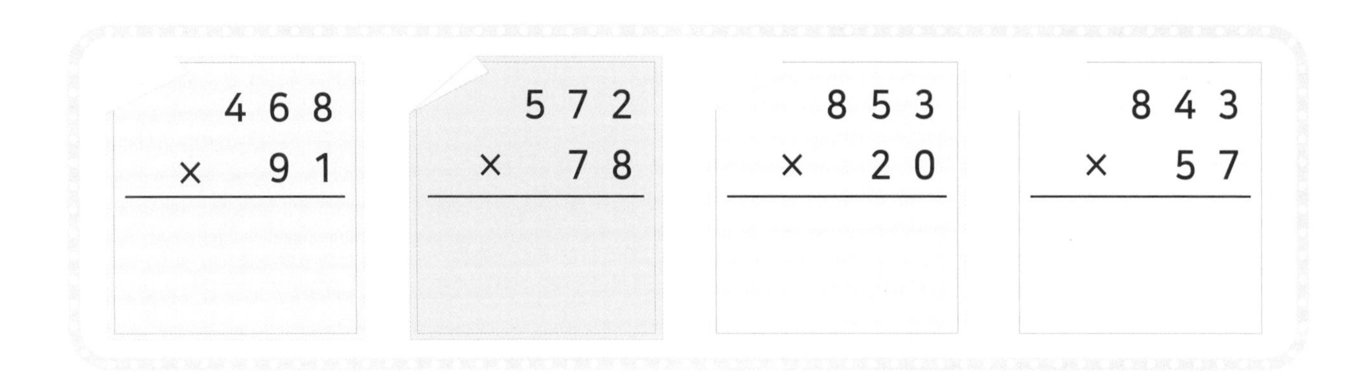

다음은 친구들이 1분 동안 걷는 거리를 나타낸 것입니다.

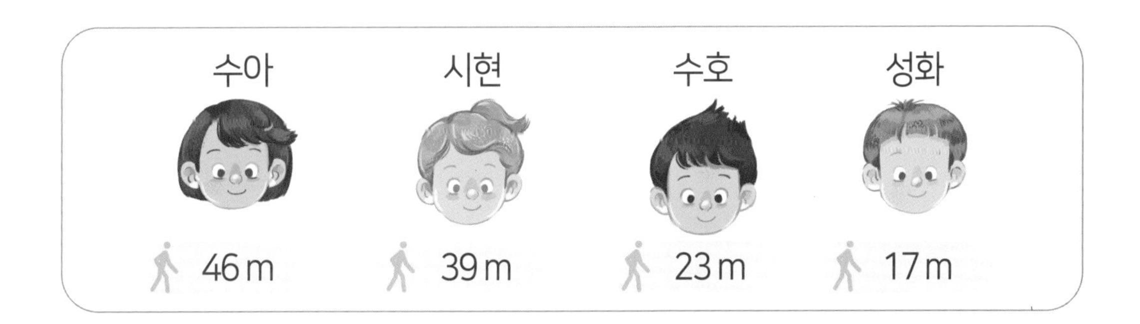

주어진 시간만큼 걸었을 때 각각 몇 m를 걷는지 구하세요.

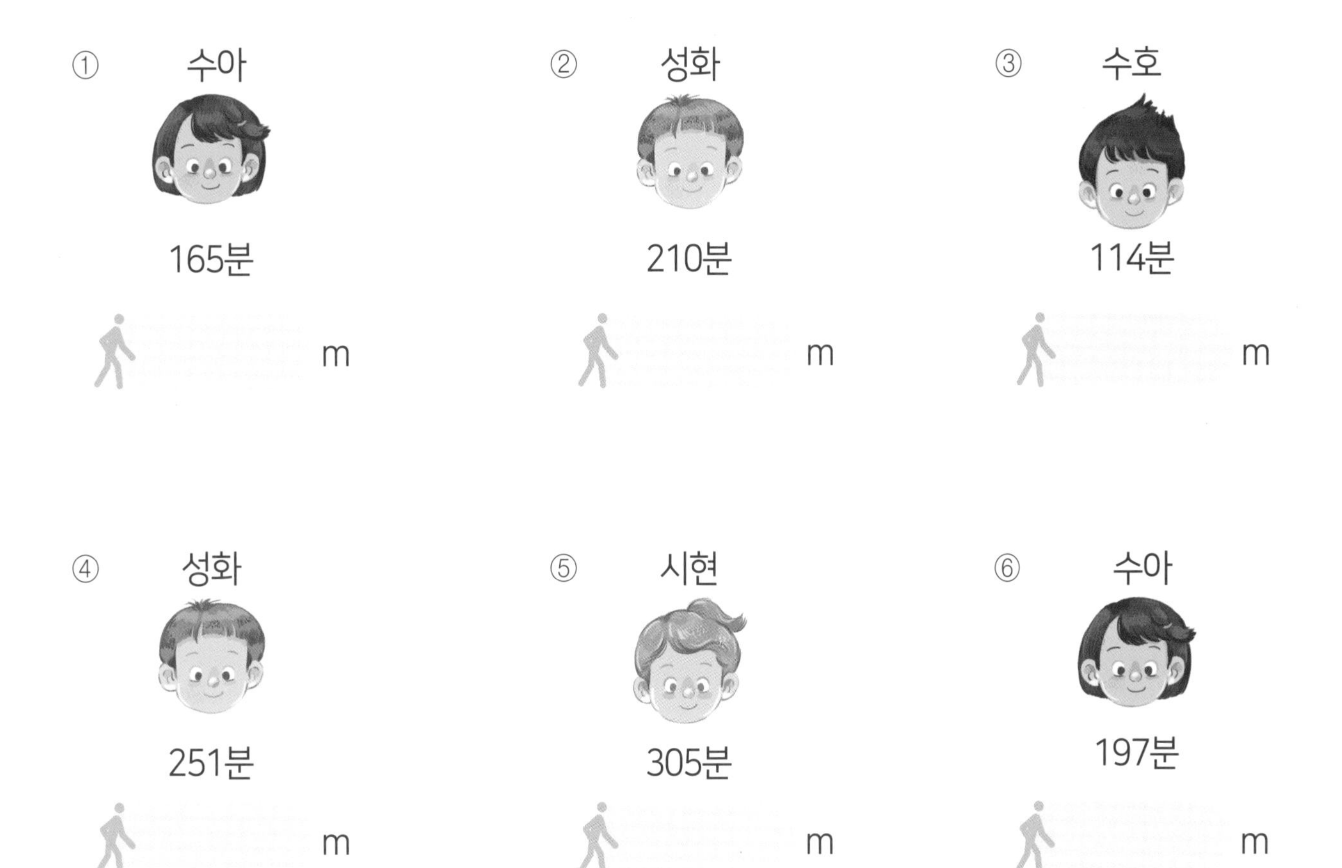

문장제

글을 보고 물음에 알맞은 식과 답을 써 보세요.

어떤 수에 36을 곱해야 할 것을 더해서 421이 나왔습니다.

어떤 수에 36을 곱하세요.

어떤 수 + 36 = 421

① 어떤 수는 얼마일까요?

식 : ________________ 답 : ________

② 바르게 계산하면 얼마일까요?

식 : ________________ 답 : ________

③ 어떤 수에 45를 곱해야 할 것을 더해서 216이 나왔습니다. 바르게 계산하면 얼마일까요?

식 : ________________ 답 : ________

문제를 읽고 알맞은 식과 답을 써 보세요.

① 한 자루에 240원인 연필이 한 묶음에 12개씩 포장되어 있습니다. 한 묶음의 연필을 사려면 얼마를 내야 되나요?

식 : ________________ 답 : ________ 원

② 성수는 올해 365일 동안 하루도 빠짐없이 줄넘기를 30개씩 하는 것이 목표입니다. 성수가 목표를 이루기 위해서는 올해 줄넘기를 몇 개 해야 할까요?

식 : ________________ 답 : ________ 개

③ 지운이는 문방구에서 한 개에 250원인 지우개를 23개 샀습니다. 지운이가 산 지우개의 가격은 모두 얼마일까요?

식 : ________________ 답 : ________ 원

④ 귤 농장에서 한 상자에 24개씩 모두 274상자를 포장하였습니다. 이 농장에서 상자에 포장한 귤은 모두 몇 개일까요?

식 : ________________ 답 : ________ 개

문제를 읽고 알맞은 식과 답을 써 보세요.

① 저금통에 50원짜리 동전만 있는데, 모두 256개입니다. 저금통에 들어 있는 동전은 모두 얼마인가요?

식 : ____________________ 답 : __________ 원

② 1초에 350 m를 날아가는 비행기가 있습니다. 37초 동안 비행기는 몇 m 날아가나요?

식 : ____________________ 답 : __________ m

③ 누리 아파트 단지에 사는 사람은 모두 390명이고, 가온동에 사는 사람은 누리 아파트 단지에 사는 사람의 27배입니다. 가온동에 사는 사람은 모두 몇 명인가요?

식 : ____________________ 답 : __________ 명

④ 성호는 8월 한 달 동안 수학 문제를 하루에 127개씩 풀었습니다. 성호가 8월 동안 푼 수학 문제는 모두 몇 개인가요?

식 : ____________________ 답 : __________ 개

5주차

(네 자리 수)×(두 자리 수)

1일차에는 (네 자리 수)×(한 자리 수) 곱셈의 확장으로 (네 자리 수)×(몇십)을 연습하고, 그다음 일반적인 (네 자리 수)×(두 자리 수) 연산을 연습합니다.

(네 자리 수)×(몇십)

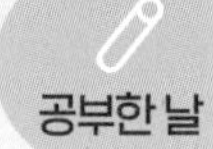

월 일

세로셈으로 계산하세요.

① $\begin{array}{r} 4291 \\ \times \quad 2 \\ \hline \end{array}$

② $\begin{array}{r} 2904 \\ \times \quad 4 \\ \hline \end{array}$

③ $\begin{array}{r} 4168 \\ \times \quad 3 \\ \hline \end{array}$

④ $\begin{array}{r} 1025 \\ \times \quad 3 \\ \hline \end{array}$

⑤ $\begin{array}{r} 8214 \\ \times \quad 7 \\ \hline \end{array}$

⑥ $\begin{array}{r} 7153 \\ \times \quad 2 \\ \hline \end{array}$

⑦ $\begin{array}{r} 5374 \\ \times \quad 6 \\ \hline \end{array}$

⑧ $\begin{array}{r} 6167 \\ \times \quad 3 \\ \hline \end{array}$

⑨ $\begin{array}{r} 4497 \\ \times \quad 7 \\ \hline \end{array}$

⑩ $\begin{array}{r} 9209 \\ \times \quad 5 \\ \hline \end{array}$

⑪ $\begin{array}{r} 5113 \\ \times \quad 2 \\ \hline \end{array}$

⑫ $\begin{array}{r} 6373 \\ \times \quad 5 \\ \hline \end{array}$

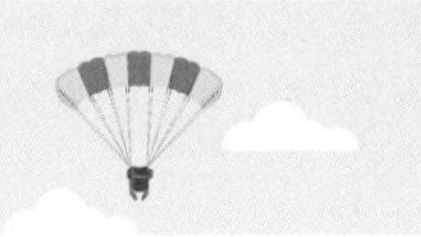

세로셈을 이용하여 가로셈을 계산하세요.

① $\begin{array}{r} 1236 \\ \times \quad 9 \\ \hline \end{array}$

➡ $1236 \times 90 =$

② $\begin{array}{r} 2392 \\ \times \quad 2 \\ \hline \end{array}$

➡ $2392 \times 20 =$

③ $\begin{array}{r} 3467 \\ \times \quad 7 \\ \hline \end{array}$

➡ $3467 \times 70 =$

④ $\begin{array}{r} 2747 \\ \times \quad 3 \\ \hline \end{array}$

➡ $2747 \times 30 =$

⑤ $\begin{array}{r} 5694 \\ \times \quad 4 \\ \hline \end{array}$

➡ $5694 \times 40 =$

⑥ $\begin{array}{r} 8510 \\ \times \quad 8 \\ \hline \end{array}$

➡ $8510 \times 80 =$

⑦ $\begin{array}{r} 4293 \\ \times \quad 6 \\ \hline \end{array}$

➡ $4293 \times 60 =$

⑧ $\begin{array}{r} 2913 \\ \times \quad 2 \\ \hline \end{array}$

➡ $2913 \times 20 =$

⑨ $\begin{array}{r} 5197 \\ \times \quad 6 \\ \hline \end{array}$

➡ $5197 \times 60 =$

⑩ $\begin{array}{r} 4785 \\ \times \quad 7 \\ \hline \end{array}$

➡ $4785 \times 70 =$

⑪ $\begin{array}{r} 3204 \\ \times \quad 6 \\ \hline \end{array}$

➡ $3204 \times 60 =$

⑫ $\begin{array}{r} 7048 \\ \times \quad 5 \\ \hline \end{array}$

➡ $7048 \times 50 =$

계산 결과에 알맞게 선을 이어 보세요.

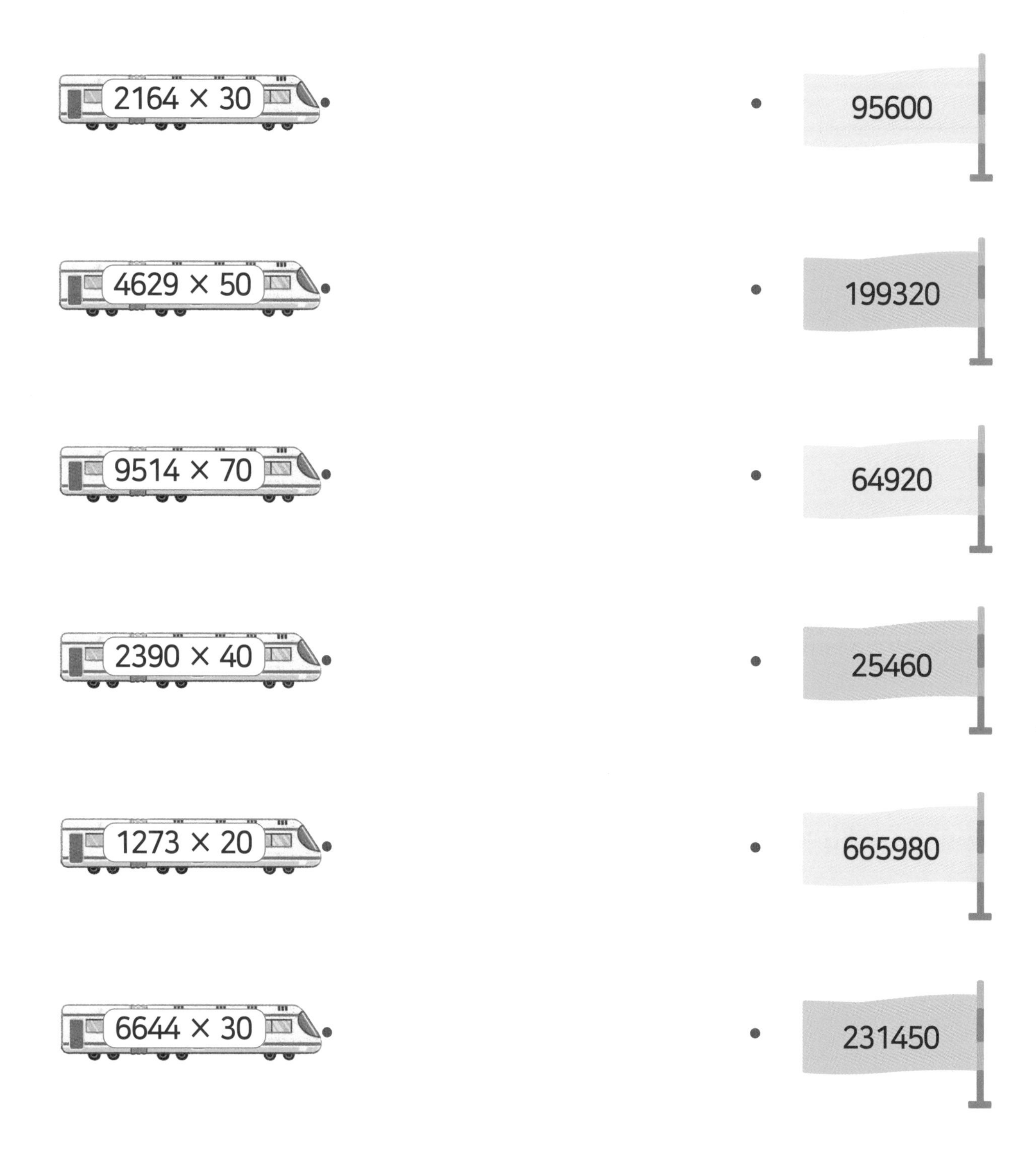

2일 (네 자리 수)×(두 자리 수)

공부한 날 월 일

세로셈으로 계산하세요.

	3	1	7	4	
×			5	4	
1	2	6	9	6	

3174×4를 계산합니다.

		3	1	7	4
×				5	4
	1	2	6	9	6
1	5	8	7	0	0

3174×50을 계산해서
자리를 맞추어 씁니다.

		3	1	7	4
×				5	4
	1	2	6	9	6
1	5	8	7	0	
1	7	1	3	9	6

두 계산 결과를 더합니다.

①

		2	6	8	1
	×			5	2

②

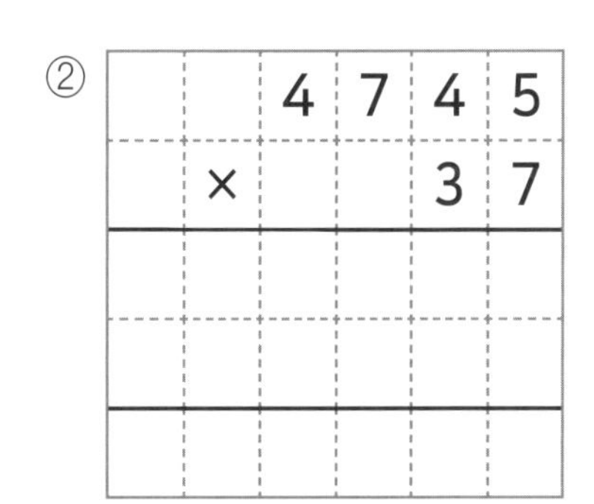

③

		9	0	1	7
	×			5	7

④

		4	9	0	1
	×			5	3

⑤

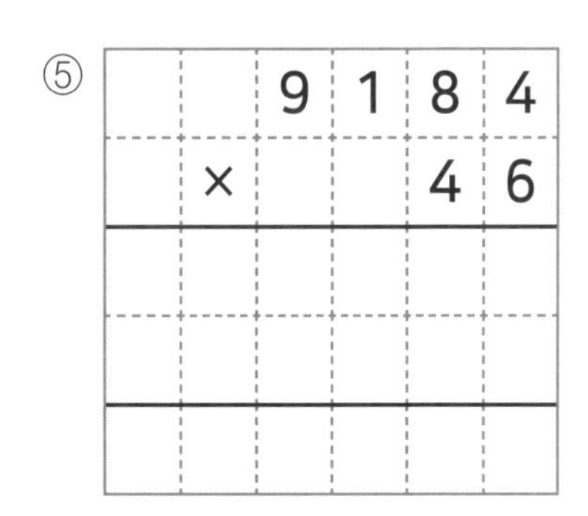

⑥

		3	8	5	9
	×			2	8

세로셈으로 계산하세요.

① 5749 × 46

②
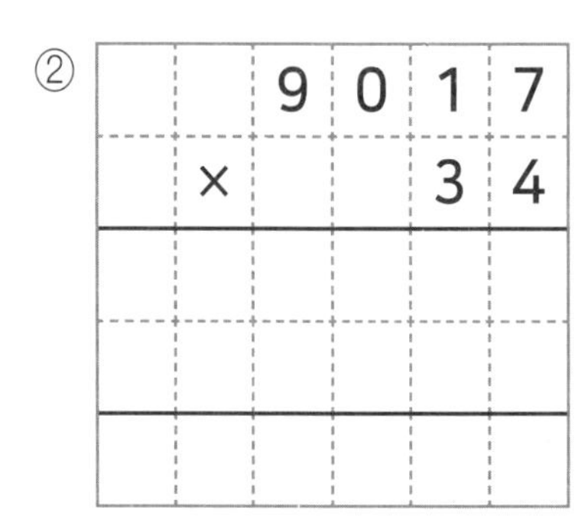
9017 × 34

③ 4907 × 36

④ 9515 × 25

⑤ 1234 × 56

⑥ 7654 × 32

⑦ 2233 × 44

⑧
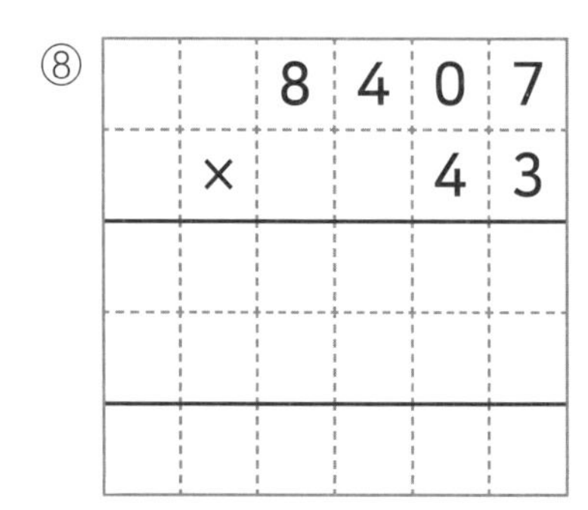
8407 × 43

⑨ 1924 × 37

세로셈으로 계산하세요.

① 4087×37

②
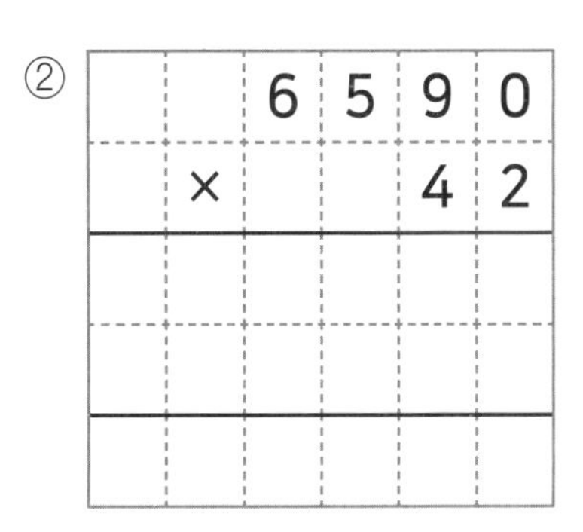

③ 5681×50

④ 8454×57

⑤
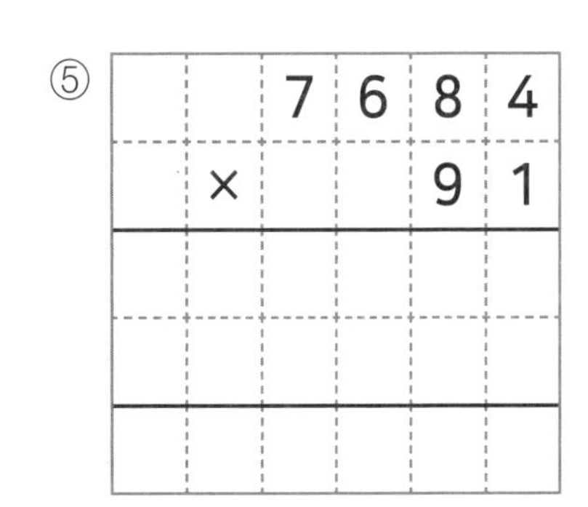

⑥ 8942×63

⑦ 5089×77

⑧
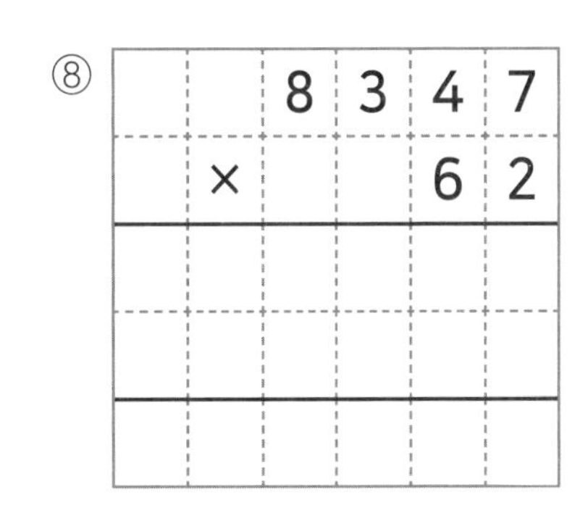

⑨ 7559×48

세로셈 연습

월 일

계산을 하세요.

①
$$\begin{array}{r} 7147 \\ \times \quad 54 \\ \hline \end{array}$$

②
$$\begin{array}{r} 5431 \\ \times \quad 65 \\ \hline \end{array}$$

③
$$\begin{array}{r} 4917 \\ \times \quad 25 \\ \hline \end{array}$$

④
$$\begin{array}{r} 6253 \\ \times \quad 71 \\ \hline \end{array}$$

⑤
$$\begin{array}{r} 3333 \\ \times \quad 74 \\ \hline \end{array}$$

⑥
$$\begin{array}{r} 9041 \\ \times \quad 59 \\ \hline \end{array}$$

⑦
$$\begin{array}{r} 1514 \\ \times \quad 41 \\ \hline \end{array}$$

⑧
$$\begin{array}{r} 4071 \\ \times \quad 91 \\ \hline \end{array}$$

⑨
$$\begin{array}{r} 3571 \\ \times \quad 46 \\ \hline \end{array}$$

계산을 하세요.

① $$\begin{array}{r} 4082 \\ \times \quad 46 \\ \hline \end{array}$$

② $$\begin{array}{r} 8219 \\ \times \quad 36 \\ \hline \end{array}$$

③ $$\begin{array}{r} 3825 \\ \times \quad 71 \\ \hline \end{array}$$

④ $$\begin{array}{r} 5691 \\ \times \quad 82 \\ \hline \end{array}$$

⑤ $$\begin{array}{r} 6305 \\ \times \quad 53 \\ \hline \end{array}$$

⑥ $$\begin{array}{r} 5912 \\ \times \quad 26 \\ \hline \end{array}$$

⑦ $$\begin{array}{r} 9043 \\ \times \quad 55 \\ \hline \end{array}$$

⑧ $$\begin{array}{r} 2874 \\ \times \quad 90 \\ \hline \end{array}$$

⑨ $$\begin{array}{r} 5372 \\ \times \quad 37 \\ \hline \end{array}$$

계산을 하세요.

①
$$\begin{array}{r} 3371 \\ \times \quad 82 \\ \hline \end{array}$$

②
$$\begin{array}{r} 4518 \\ \times \quad 50 \\ \hline \end{array}$$

③
$$\begin{array}{r} 5950 \\ \times \quad 42 \\ \hline \end{array}$$

④
$$\begin{array}{r} 2771 \\ \times \quad 57 \\ \hline \end{array}$$

⑤
$$\begin{array}{r} 6549 \\ \times \quad 46 \\ \hline \end{array}$$

⑥
$$\begin{array}{r} 8751 \\ \times \quad 45 \\ \hline \end{array}$$

⑦
$$\begin{array}{r} 7941 \\ \times \quad 26 \\ \hline \end{array}$$

⑧
$$\begin{array}{r} 8404 \\ \times \quad 38 \\ \hline \end{array}$$

⑨
$$\begin{array}{r} 6077 \\ \times \quad 29 \\ \hline \end{array}$$

4일 연산 퍼즐

공부한날 월 일

같은 색의 □에는 같은 수가 들어갑니다. □에 알맞은 수를 써넣으세요.

$$\begin{array}{r} 217 \\ \times \quad 6 \\ \hline 1302 \end{array} \rightarrow \begin{array}{r} 1302 \\ \times \quad 40 \\ \hline 52080 \end{array}$$

① $\begin{array}{r} 971 \\ \times \quad 3 \\ \hline \square \end{array} \rightarrow \begin{array}{r} \square \\ \times \quad 50 \\ \hline \square \end{array}$

② $\begin{array}{r} 125 \\ \times \quad 7 \\ \hline \square \end{array} \rightarrow \begin{array}{r} \square \\ \times \quad 20 \\ \hline \square \end{array}$

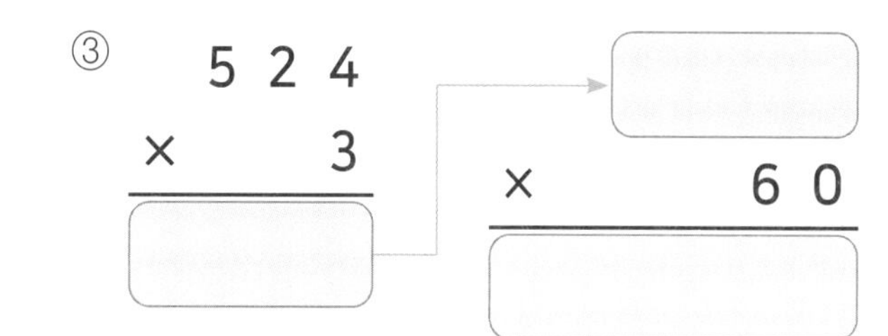

③ $\begin{array}{r} 524 \\ \times \quad 3 \\ \hline \square \end{array} \rightarrow \begin{array}{r} \square \\ \times \quad 60 \\ \hline \square \end{array}$

④ $\begin{array}{r} 714 \\ \times \quad 2 \\ \hline \square \end{array} \rightarrow \begin{array}{r} \square \\ \times \quad 30 \\ \hline \square \end{array}$

⑤ $\begin{array}{r} 203 \\ \times \quad 9 \\ \hline \square \end{array} \rightarrow \begin{array}{r} \square \\ \times \quad 50 \\ \hline \square \end{array}$

⑥ $\begin{array}{r} 343 \\ \times \quad 7 \\ \hline \square \end{array} \rightarrow \begin{array}{r} \square \\ \times \quad 90 \\ \hline \square \end{array}$

⑦ $\begin{array}{r} 808 \\ \times \quad 7 \\ \hline \square \end{array} \rightarrow \begin{array}{r} \square \\ \times \quad 70 \\ \hline \square \end{array}$

잘못 계산한 것을 찾아 바르게 고쳐 보세요.

```
   4927
×    34
  19708
 14781
 167518
```

```
   1734
×    25
   8670
  3468
  43350
```

```
   2435
×    17
  17045
   2435
  19480
```

```
   7572
×    34
 30288
 22716
 530040
```

```
   4654
×    29
  41886
   9308
 134966
```

```
   9184
×    75
  45920
 64288
 688800
```

```
   8253
×    27
  57771
 16506
 222831
```

```
   4917
×    99
  44253
  44253
  88506
```

```
   3452
×    45
  17260
 13808
 155340
```

같은 줄에서 식의 값이 가장 큰 식에 ◯표 하세요.

$$\begin{array}{r} 6342 \\ \times \quad 33 \\ \hline \end{array} \qquad \begin{array}{r} 7523 \\ \times \quad 27 \\ \hline \end{array} \qquad \begin{array}{r} 5693 \\ \times \quad 41 \\ \hline \end{array}$$

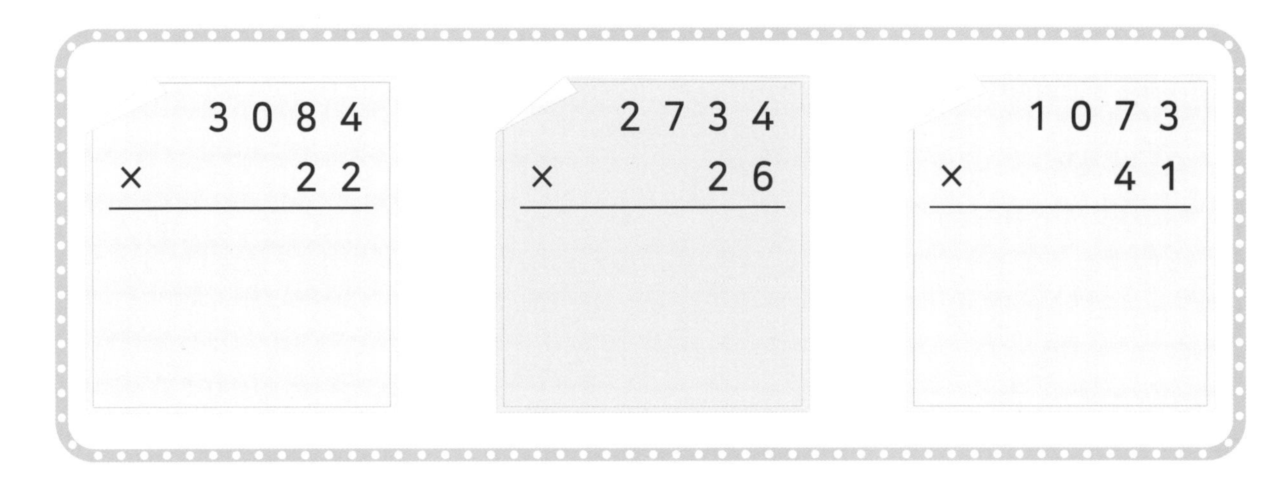

공부한 날 월 일

글과 그림을 보고 물음에 알맞은 식과 답을 써 보세요.

어느 피자집에서 파는 콤비네이션 피자 한 판의 칼로리는 1721 kcal 입니다.

★ 콤비네이션 피자 36판의 칼로리는 모두 몇 kcal 인가요?

식 : $1721 \times 36 = 61956$ 답 : 61956 kcal

① 피자집에서 한 판의 칼로리가 1432 kcal인 고구마 피자를 팔기 시작했습니다. 고구마 피자 42판의 칼로리는 모두 몇 kcal 인가요?

식 : ______ 답 : ______ kcal

문제를 읽고 알맞은 식과 답을 써 보세요.

① 세호네 반 학생 28명이 관람료가 한 사람당 5400원인 연극을 관람 하러 갔습니다. 관람료는 모두 얼마인가요?

식 : ______________________ 답 : __________ 원

② 세호는 25일 동안 1350원짜리 우유 1개를 매일 마셨습니다. 세호가 우유를 사는 데 낸 돈은 모두 얼마인가요?

식 : ______________________ 답 : __________ 원

③ 어느 공장에서 장난감 비행기 1대를 만드는 데 플라스틱 3892 g이 필요합니다. 장난감 비행기 56대를 만들려면 플라스틱이 몇 g 필요한가요?

식 : ______________________ 답 : __________ g

④ 희수는 1초에 82 m를 움직이는 기차를 타고 3725초 동안 가서 목적지에 도착했습니다. 희수가 목적지까지 기차로 이동한 거리는 몇 m인가요?

식 : ______________________ 답 : __________ m

문제를 읽고 알맞은 식과 답을 써 보세요.

① 정수기 1대로 한 시간에 8712 mL의 물을 정수할 수 있습니다. 정수기 37대로 한 시간에 몇 mL의 물을 정수할 수 있나요?

식 : ______________________ 답 : __________ mL

② 가람이네 학교 학생은 1541명입니다. 학생 한 명마다 연필을 30자루씩 나누어 주려면 모두 몇 자루의 연필을 나누어 줘야 되나요?

식 : ______________________ 답 : __________ 자루

③ 수박 한 통을 7840원에 팔 수 있습니다. 수박 38통은 얼마에 팔 수 있나요?

식 : ______________________ 답 : __________ 원

④ 달팽이가 한 시간에 4892 mm씩 움직입니다. 달팽이가 22시간 동안 쉬지 않고 움직였다면 몇 mm를 움직였나요?

식 : ______________________ 답 : __________ mm

6주차

도전! 계산왕

큰 수의 곱셈

계산을 하세요.

① $\begin{array}{r} 470 \\ \times \quad 12 \\ \hline \end{array}$

② $\begin{array}{r} 865 \\ \times \quad 34 \\ \hline \end{array}$

③ $\begin{array}{r} 271 \\ \times \quad 25 \\ \hline \end{array}$

④ $\begin{array}{r} 873 \\ \times \quad 53 \\ \hline \end{array}$

⑤ $\begin{array}{r} 727 \\ \times \quad 49 \\ \hline \end{array}$

⑥ $\begin{array}{r} 642 \\ \times \quad 65 \\ \hline \end{array}$

⑦ $\begin{array}{r} 6570 \\ \times \quad 14 \\ \hline \end{array}$

⑧ $\begin{array}{r} 5307 \\ \times \quad 45 \\ \hline \end{array}$

⑨ $\begin{array}{r} 9025 \\ \times \quad 62 \\ \hline \end{array}$

⑩ $\begin{array}{r} 8461 \\ \times \quad 53 \\ \hline \end{array}$

⑪ $\begin{array}{r} 4942 \\ \times \quad 71 \\ \hline \end{array}$

⑫ $\begin{array}{r} 2724 \\ \times \quad 83 \\ \hline \end{array}$

큰 수의 곱셈

공부한 날	월 일
점수	/12

계산을 하세요.

① 718×91

② 802×86

③ 345×64

④ 680×35

⑤ 962×27

⑥ 555×68

⑦ 7485×21

⑧ 3901×49

⑨ 8356×57

⑩ 9780×65

⑪ 5673×74

⑫ 2785×53

큰 수의 곱셈

공부한 날	월 일
점수	/12

계산을 하세요.

① $\begin{array}{r} 198 \\ \times \quad 62 \\ \hline \end{array}$

② $\begin{array}{r} 791 \\ \times \quad 28 \\ \hline \end{array}$

③ $\begin{array}{r} 963 \\ \times \quad 45 \\ \hline \end{array}$

④ $\begin{array}{r} 782 \\ \times \quad 74 \\ \hline \end{array}$

⑤ $\begin{array}{r} 560 \\ \times \quad 46 \\ \hline \end{array}$

⑥ $\begin{array}{r} 854 \\ \times \quad 22 \\ \hline \end{array}$

⑦ $\begin{array}{r} 6520 \\ \times \quad 73 \\ \hline \end{array}$

⑧ $\begin{array}{r} 3221 \\ \times \quad 39 \\ \hline \end{array}$

⑨ $\begin{array}{r} 7211 \\ \times \quad 85 \\ \hline \end{array}$

⑩ $\begin{array}{r} 5842 \\ \times \quad 41 \\ \hline \end{array}$

⑪ $\begin{array}{r} 8006 \\ \times \quad 93 \\ \hline \end{array}$

⑫ $\begin{array}{r} 9290 \\ \times \quad 88 \\ \hline \end{array}$

큰 수의 곱셈

공부한 날	월 일
점수	/12

계산을 하세요.

① $\begin{array}{r} 360 \\ \times \quad 58 \\ \hline \end{array}$

② $\begin{array}{r} 821 \\ \times \quad 25 \\ \hline \end{array}$

③ $\begin{array}{r} 709 \\ \times \quad 69 \\ \hline \end{array}$

④ $\begin{array}{r} 429 \\ \times \quad 96 \\ \hline \end{array}$

⑤ $\begin{array}{r} 574 \\ \times \quad 36 \\ \hline \end{array}$

⑥ $\begin{array}{r} 654 \\ \times \quad 73 \\ \hline \end{array}$

⑦ $\begin{array}{r} 9048 \\ \times \quad 46 \\ \hline \end{array}$

⑧ $\begin{array}{r} 5341 \\ \times \quad 59 \\ \hline \end{array}$

⑨ $\begin{array}{r} 6829 \\ \times \quad 34 \\ \hline \end{array}$

⑩ $\begin{array}{r} 4782 \\ \times \quad 65 \\ \hline \end{array}$

⑪ $\begin{array}{r} 7805 \\ \times \quad 84 \\ \hline \end{array}$

⑫ $\begin{array}{r} 8990 \\ \times \quad 74 \\ \hline \end{array}$

큰 수의 곱셈

계산을 하세요.

① $\begin{array}{r} 882 \\ \times \quad 29 \\ \hline \end{array}$

② $\begin{array}{r} 733 \\ \times \quad 96 \\ \hline \end{array}$

③ $\begin{array}{r} 905 \\ \times \quad 39 \\ \hline \end{array}$

④ $\begin{array}{r} 852 \\ \times \quad 75 \\ \hline \end{array}$

⑤ $\begin{array}{r} 620 \\ \times \quad 82 \\ \hline \end{array}$

⑥ $\begin{array}{r} 535 \\ \times \quad 43 \\ \hline \end{array}$

⑦ $\begin{array}{r} 3098 \\ \times \quad 96 \\ \hline \end{array}$

⑧ $\begin{array}{r} 7221 \\ \times \quad 28 \\ \hline \end{array}$

⑨ $\begin{array}{r} 6558 \\ \times \quad 45 \\ \hline \end{array}$

⑩ $\begin{array}{r} 4930 \\ \times \quad 83 \\ \hline \end{array}$

⑪ $\begin{array}{r} 2874 \\ \times \quad 33 \\ \hline \end{array}$

⑫ $\begin{array}{r} 5208 \\ \times \quad 67 \\ \hline \end{array}$

큰 수의 곱셈

공부한 날	월 일
점수	/12

계산을 하세요.

① $\begin{array}{r} 579 \\ \times \quad 92 \\ \hline \end{array}$

② $\begin{array}{r} 732 \\ \times \quad 64 \\ \hline \end{array}$

③ $\begin{array}{r} 228 \\ \times \quad 85 \\ \hline \end{array}$

④ $\begin{array}{r} 809 \\ \times \quad 38 \\ \hline \end{array}$

⑤ $\begin{array}{r} 480 \\ \times \quad 79 \\ \hline \end{array}$

⑥ $\begin{array}{r} 394 \\ \times \quad 67 \\ \hline \end{array}$

⑦ $\begin{array}{r} 8409 \\ \times \quad 37 \\ \hline \end{array}$

⑧ $\begin{array}{r} 2441 \\ \times \quad 52 \\ \hline \end{array}$

⑨ $\begin{array}{r} 3329 \\ \times \quad 71 \\ \hline \end{array}$

⑩ $\begin{array}{r} 6054 \\ \times \quad 48 \\ \hline \end{array}$

⑪ $\begin{array}{r} 1795 \\ \times \quad 65 \\ \hline \end{array}$

⑫ $\begin{array}{r} 7583 \\ \times \quad 28 \\ \hline \end{array}$

큰 수의 곱셈

공부한 날	월 일
점수	/12

계산을 하세요.

① $\begin{array}{r} 708 \\ \times \quad 59 \\ \hline \end{array}$

② $\begin{array}{r} 873 \\ \times \quad 25 \\ \hline \end{array}$

③ $\begin{array}{r} 439 \\ \times \quad 47 \\ \hline \end{array}$

④ $\begin{array}{r} 810 \\ \times \quad 87 \\ \hline \end{array}$

⑤ $\begin{array}{r} 381 \\ \times \quad 68 \\ \hline \end{array}$

⑥ $\begin{array}{r} 775 \\ \times \quad 34 \\ \hline \end{array}$

⑦ $\begin{array}{r} 9518 \\ \times \quad 24 \\ \hline \end{array}$

⑧ $\begin{array}{r} 3740 \\ \times \quad 72 \\ \hline \end{array}$

⑨ $\begin{array}{r} 5249 \\ \times \quad 54 \\ \hline \end{array}$

⑩ $\begin{array}{r} 7025 \\ \times \quad 41 \\ \hline \end{array}$

⑪ $\begin{array}{r} 4512 \\ \times \quad 57 \\ \hline \end{array}$

⑫ $\begin{array}{r} 9378 \\ \times \quad 63 \\ \hline \end{array}$

큰 수의 곱셈

계산을 하세요.

① $\begin{array}{r} 325 \\ \times\ \ 48 \\ \hline \end{array}$

② $\begin{array}{r} 809 \\ \times\ \ 54 \\ \hline \end{array}$

③ $\begin{array}{r} 545 \\ \times\ \ 65 \\ \hline \end{array}$

④ $\begin{array}{r} 470 \\ \times\ \ 78 \\ \hline \end{array}$

⑤ $\begin{array}{r} 922 \\ \times\ \ 61 \\ \hline \end{array}$

⑥ $\begin{array}{r} 275 \\ \times\ \ 79 \\ \hline \end{array}$

⑦ $\begin{array}{r} 2557 \\ \times\ \ \ 33 \\ \hline \end{array}$

⑧ $\begin{array}{r} 5189 \\ \times\ \ \ 57 \\ \hline \end{array}$

⑨ $\begin{array}{r} 4718 \\ \times\ \ \ 46 \\ \hline \end{array}$

⑩ $\begin{array}{r} 8002 \\ \times\ \ \ 25 \\ \hline \end{array}$

⑪ $\begin{array}{r} 9253 \\ \times\ \ \ 68 \\ \hline \end{array}$

⑫ $\begin{array}{r} 6210 \\ \times\ \ \ 92 \\ \hline \end{array}$

큰 수의 곱셈

공부한 날	월 일
점수	/12

계산을 하세요.

① $\begin{array}{r} 406 \\ \times \quad 63 \\ \hline \end{array}$

② $\begin{array}{r} 781 \\ \times \quad 85 \\ \hline \end{array}$

③ $\begin{array}{r} 680 \\ \times \quad 54 \\ \hline \end{array}$

④ $\begin{array}{r} 825 \\ \times \quad 93 \\ \hline \end{array}$

⑤ $\begin{array}{r} 394 \\ \times \quad 83 \\ \hline \end{array}$

⑥ $\begin{array}{r} 926 \\ \times \quad 47 \\ \hline \end{array}$

⑦ $\begin{array}{r} 4912 \\ \times \quad 74 \\ \hline \end{array}$

⑧ $\begin{array}{r} 6580 \\ \times \quad 48 \\ \hline \end{array}$

⑨ $\begin{array}{r} 7753 \\ \times \quad 58 \\ \hline \end{array}$

⑩ $\begin{array}{r} 9205 \\ \times \quad 36 \\ \hline \end{array}$

⑪ $\begin{array}{r} 8129 \\ \times \quad 55 \\ \hline \end{array}$

⑫ $\begin{array}{r} 2572 \\ \times \quad 85 \\ \hline \end{array}$

큰 수의 곱셈

공부한 날	월 일
점수	/12

계산을 하세요.

① $\begin{array}{r} 557 \\ \times \quad 29 \\ \hline \end{array}$

② $\begin{array}{r} 817 \\ \times \quad 92 \\ \hline \end{array}$

③ $\begin{array}{r} 564 \\ \times \quad 38 \\ \hline \end{array}$

④ $\begin{array}{r} 785 \\ \times \quad 45 \\ \hline \end{array}$

⑤ $\begin{array}{r} 585 \\ \times \quad 84 \\ \hline \end{array}$

⑥ $\begin{array}{r} 470 \\ \times \quad 67 \\ \hline \end{array}$

⑦ $\begin{array}{r} 7829 \\ \times \quad 45 \\ \hline \end{array}$

⑧ $\begin{array}{r} 4670 \\ \times \quad 57 \\ \hline \end{array}$

⑨ $\begin{array}{r} 8513 \\ \times \quad 74 \\ \hline \end{array}$

⑩ $\begin{array}{r} 5338 \\ \times \quad 58 \\ \hline \end{array}$

⑪ $\begin{array}{r} 9035 \\ \times \quad 49 \\ \hline \end{array}$

⑫ $\begin{array}{r} 3481 \\ \times \quad 86 \\ \hline \end{array}$

MEMO

 1000math.com 

홈페이지

· 천종현수학연구소 소개 및 학습 자료 공유
· 출판 교재, 연구소 굿즈 구입

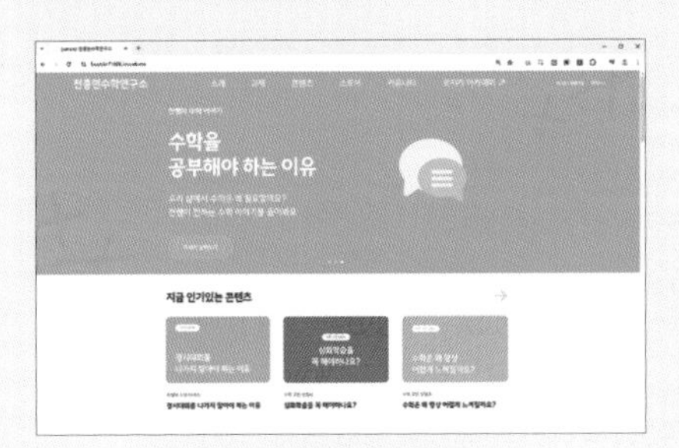

 cafe.naver.com/maths1000 

네이버카페

· 다양한 이벤트 및 '천쌤수학학습단' 진행
· 학습 상담 게시판 운영

 https://www.instagram.com/1000maths 

인스타그램

· 수학고민상담소 '천쌤에게 물어보셈' 릴스 보기
· 가장 빠르게 만나는 연구소 소식 및 이벤트

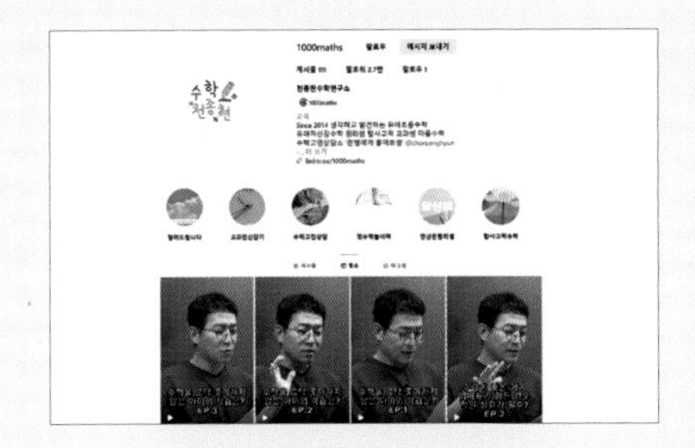

 https://www.youtube.com/@1000math4U 

유튜브

· 인스타 라이브방송 '천쌤에게 물어보셈' 다시 보기
· 고민 상담 사례 및 수학교육 기획 콘텐츠

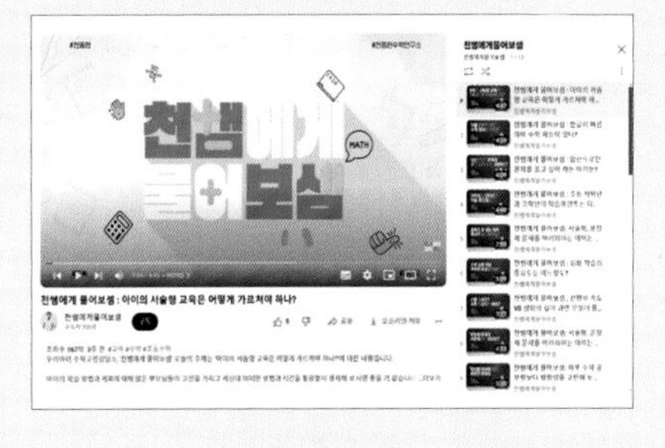

천종현수학연구소는
유아 초등 수학 교재와 **콘텐츠**를 꾸준히 **개발**하고 있습니다. 네이버에 '**천종현수학연구소**'를 검색하시거나 **인스타그램**, **유튜브** 등 다양한 채널을 통해서도 **연산**과 **사고력 수학**, **교과 심화 학습**에 대한 **노하우**와 **정보**를 다양하게 제공합니다. 지금 바로 만나보세요.

SINCE **2014**

천종현수학연구소 출판 교재

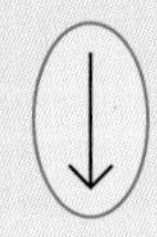

01
유아 자신감 수학

썼다 지웠다 붙였다 뗐다
우리 아이의 첫 수학 교재

02
TOP 사고력 수학

실력도 탑! 재미도 탑!
사고력 수학의 으뜸

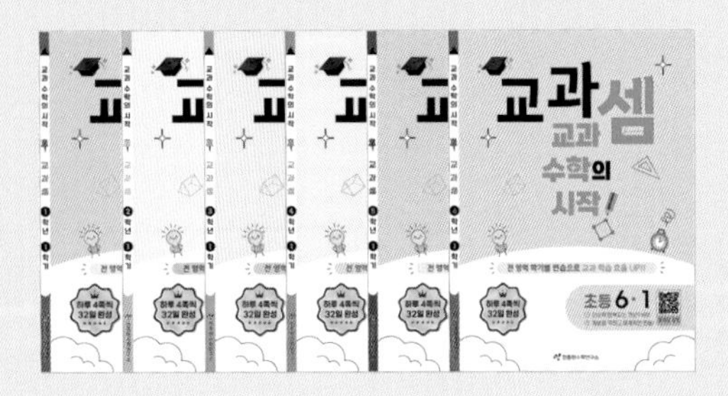

03
교과셈

사칙연산+도형, 측정, 경우의 수까지
반복 학습이 필요한 초등 연산 완성

04
따풀 수학

다양한 개념과 해결 방법을 배우는
배움이 있는 학습지

05
초등 사고력 수학의 원리/전략

진정한 수학 실력은 원리의 이해와 문제 해결 전략에서
재미있게 읽는 17년 초등 사고력 수학의 노하우!!

교과 과정
완벽 대비
★★★★★

원리셈

천종현 지음

4학년 1

큰 수의 곱셈

천종현수학연구소

1주차 - 큰 수

10쪽

① 4000

② 1200

③ 6000

④ 100

11쪽

① 40000 ② 20000

③ 60000 ④ 60000

⑤ 50000 ⑥ 20000

12쪽

① 10

② 30000

③ 50000

④ 500

⑤ 7

⑥ 10

⑦ 5

⑧ 80000

⑨ 70000

13쪽

① 10000 4000 600 20 3
14623

② 30000 2000 300 50 6
32356

③ 20000 3000 400 50 5
23455

14쪽

① 2 9 5 4 8

② 57418

③ 8 6 3 4 7

④ 19344

⑤ 3 6 9 3 4

15쪽

① 70000 80000

② 55463 75463

③ 49500 50500 52500

④ 19999 20000 20001 20002

⑤ 25000 45000 55000

⑥ 76390 76400 76420

⑦ 92945 93145 93245

⑧ 18537 18538 18539 18540

16쪽

① 300만

② 100만 ③ 2000만

④ 100만 ⑤ 1000만

17쪽

① 10 ② 9000만

③ 1000 ④ 7000만

⑤ 100 ⑥ 5000만

⑦ 10 ⑧ 2000만

18쪽

① 300000 30 10000

② 70000 70 1000 ③ 700000 7000 100

④ 500000 500 1000 ⑤ 100000 100 1000

⑥ 900000 90 10000 ⑦ 80000 80 1000

19쪽

①

②
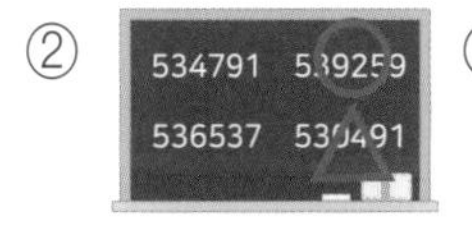

③
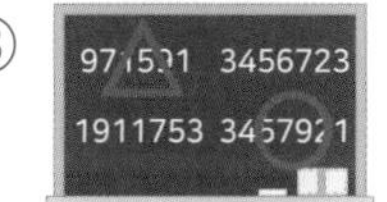

④ 255841 53472

⑤

⑥ 785491 658751

⑦
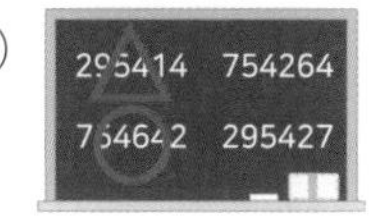

20쪽

① 300 70 6000 5

② 30000 600 9000 6000

③ 4000 300 90 30

④ 5000 900 50 70000

⑤ 10000 6000 1000 40

21쪽

① >　② <

③ <　④ <

⑤ >　⑥ >

⑦ >　⑧ <

⑨ <　⑩ <

22쪽

① 100
148　14800　14800

23쪽

① 10
92000　920000　920000

② 100
41만　4100만　4100만

③ 1000
51　51000　51000

④ 1000
320　320000　320000

24쪽

① 1000
40　40000　40000

② 1000
5만　5000만　5000만

③ 100
12　1200　1200

④ 100
30만　3000만　3000만

2주차 - 0으로 끝나는 곱셈

26쪽

① 760
7600

② 910
9100

③ 1140
11400

④ 2040
20400

⑤ 900
9000

⑥ 460
4600

⑦ 3000
30000

⑧ 1400
14000

27쪽

① 11000
1100

② 9000
900

③ 26000
2600

④ 7000
700

⑤ 14000
1400

⑥ 6000
600

⑦ 24000
2400

⑧ 37000
3700

⑨ 5000
500

28쪽

① 3700　② 19000

③ 7000　④ 95000

⑤ 47500　⑥ 9500

⑦ 39000　⑧ 97510

⑨ 4300　⑩ 951000

⑪ 94200　⑫ 90000

⑬ 4650　⑭ 26000

⑮ 37120　⑯ 8000

29쪽

① 72　1000
72000

② 639　100
63900

③ 212　1000
212000

④ 48　1000
48000

⑤ 360　1000
360000

⑥ 238　1000
238000

⑦ 18　10000
180000

30쪽

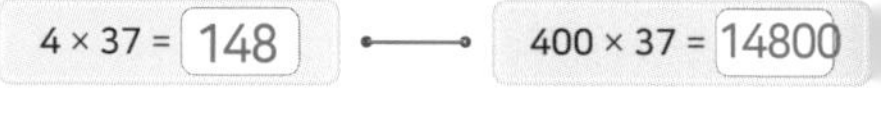

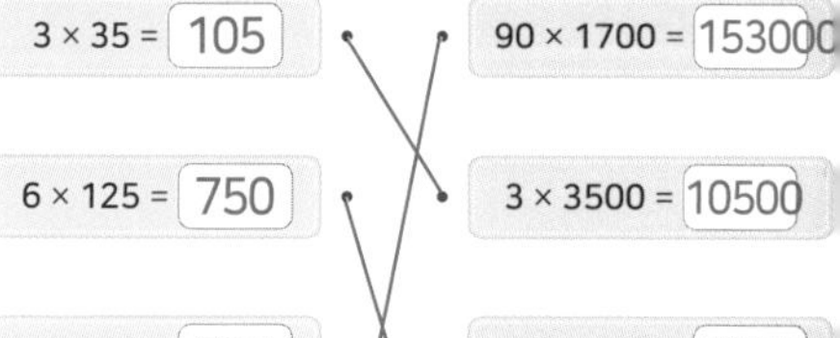

9 × 17 = 153　600 × 125 = 75000

31쪽

① 336000

② 74400　③ 53600

④ 2112000　⑤ 196700

⑥ 1007000　⑦ 57000

32쪽

① 21000 ② 54000
③ 35000 ④ 36000
⑤ 56000 ⑥ 42000
⑦ 24000 ⑧ 20000
⑨ 28000 ⑩ 72000
⑪ 10000 ⑫ 63000
⑬ 12000 ⑭ 18000
⑮ 63000 ⑯ 25000

33쪽

50 × 900	20 × 3000 ○	50 × 200 △	90 × 600
30 × 700 △	80 × 3000 ○	20 × 3000	90 × 600
80 × 900	40 × 2000 ○	30 × 900 △	600 × 60
500 × 900	80 × 9000 ○	900 × 300 △	2000 × 300
700 × 500 ○	300 × 900	200 × 1000 △	300 × 700
700 × 300	60 × 2000	50 × 6000 ○	500 × 200 △

34쪽

① 700 ② 400
③ 500 ④ 80
⑤ 30 ⑥ 800
⑦ 700 ⑧ 600
⑨ 90 ⑩ 400
⑪ 500 ⑫ 400
⑬ 5000 ⑭ 900

35쪽

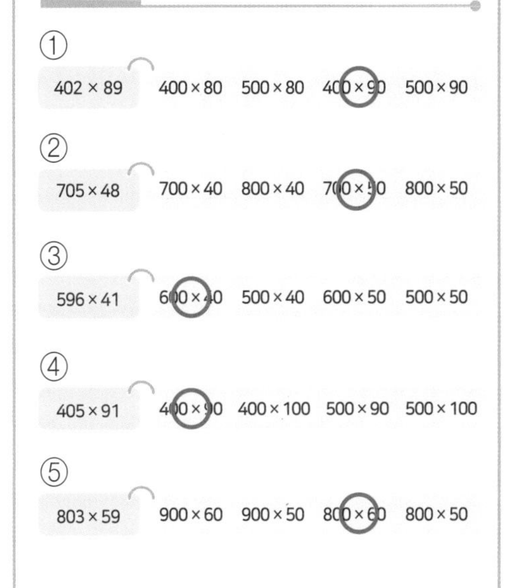

①
402 × 89 400 × 80 500 × 80 400 × 90 500 × 90
②
705 × 48 700 × 40 800 × 40 700 × 50 800 × 50
③
596 × 41 600 × 40 500 × 40 600 × 50 500 × 50
④
405 × 91 400 × 90 400 × 100 500 × 90 500 × 100
⑤
803 × 59 900 × 60 900 × 50 800 × 60 800 × 50

36쪽

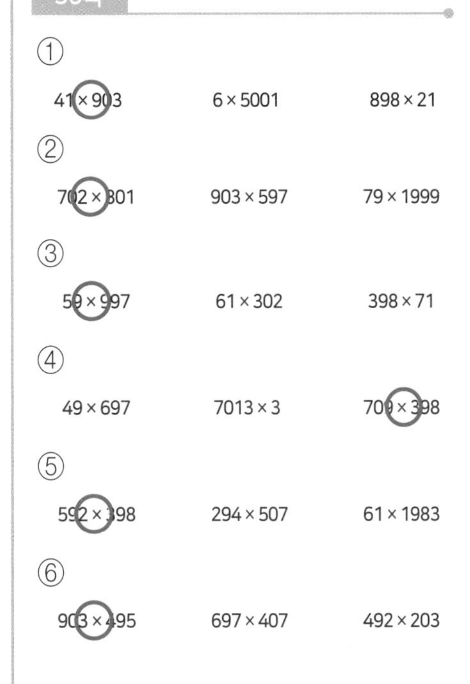

37쪽

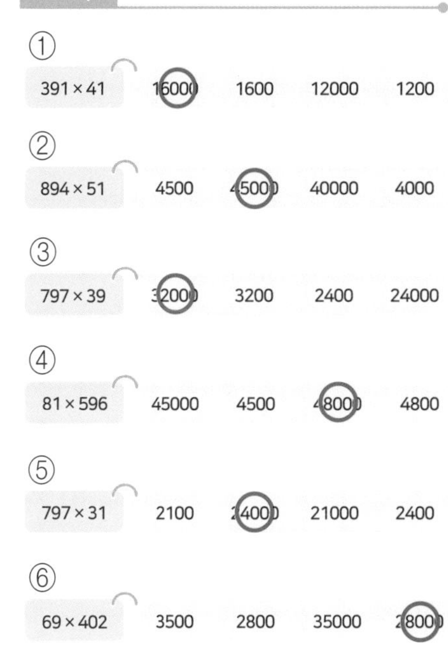

38쪽

① $12 \times 6 = 72$, 72
② $1200 \times 6 = 7200$, 7200

39쪽

① $300 \times 80 = 24000$, 24000
② $40 \times 800 = 32000$, 32000
③ $30 \times 400 = 12000$, 12000
④ $3000 \times 800 = 2400000$, 2400000

40쪽

① 5000 × 20 = 100000, 100000

② 300 × 80 = 24000, 24000

③ 7000 × 40 = 280000, 280000

④ 4000 × 30 = 120000, 120000

3주차 - 도전! 계산왕

42쪽

① 5000 ② 16000
③ 82600 ④ 32120
⑤ 63000 ⑥ 95000
⑦ 24000 ⑧ 36000
⑨ 82300 ⑩ 64000
⑪ 89000 ⑫ 48000
⑬ 76520 ⑭ 271000
⑮ 20000 ⑯ 48000

43쪽

① 42000 ② 9230
③ 78000 ④ 12000
⑤ 27000 ⑥ 7700
⑦ 24000 ⑧ 8910
⑨ 10000 ⑩ 54000
⑪ 50000 ⑫ 682000
⑬ 35000 ⑭ 72000
⑮ 99000 ⑯ 72170

44쪽

① 68200 ② 510
③ 40000 ④ 89000
⑤ 32000 ⑥ 15000
⑦ 85200 ⑧ 55720
⑨ 10000 ⑩ 20000
⑪ 25000 ⑫ 781000
⑬ 21000 ⑭ 81000
⑮ 36000 ⑯ 56000

45쪽

① 10000 ② 8100
③ 45000 ④ 30000
⑤ 745000 ⑥ 49000
⑦ 29010 ⑧ 40000
⑨ 13900 ⑩ 72000
⑪ 18000 ⑫ 698000
⑬ 38010 ⑭ 48000
⑮ 32000 ⑯ 7900

46쪽

① 15000 ② 30000
③ 8600 ④ 36000
⑤ 450000 ⑥ 501000
⑦ 24000 ⑧ 90110
⑨ 56000 ⑩ 63000
⑪ 671000 ⑫ 5200
⑬ 54810 ⑭ 49100
⑮ 10000 ⑯ 48000

47쪽

① 36000 ② 58100
③ 15000 ④ 54000
⑤ 11190 ⑥ 89900
⑦ 32000 ⑧ 851000
⑨ 58000 ⑩ 45000
⑪ 21000 ⑫ 78200
⑬ 24000 ⑭ 16000
⑮ 30000 ⑯ 80000

48쪽

① 27000 ② 89050
③ 661000 ④ 28000
⑤ 35000 ⑥ 49000
⑦ 27000 ⑧ 76800
⑨ 64000 ⑩ 20000
⑪ 4670 ⑫ 12000
⑬ 841000 ⑭ 54000
⑮ 831400 ⑯ 201000

49쪽

① 9010 ② 15000
③ 45000 ④ 90110
⑤ 35000 ⑥ 223000
⑦ 56000 ⑧ 66770
⑨ 27000 ⑩ 36000
⑪ 58100 ⑫ 24000
⑬ 12000 ⑭ 48000
⑮ 63000 ⑯ 48000

50쪽

① 12000 ② 2900
③ 40000 ④ 54000
⑤ 82120 ⑥ 35000
⑦ 42000 ⑧ 8000
⑨ 89400 ⑩ 45000
⑪ 40000 ⑫ 454100
⑬ 88000 ⑭ 81000
⑮ 28000 ⑯ 3800

51쪽

① 32000 ② 11920
③ 56000 ④ 978100
⑤ 18000 ⑥ 20000
⑦ 77000 ⑧ 52100
⑨ 18000 ⑩ 20000
⑪ 7510 ⑫ 72000
⑬ 506000 ⑭ 35000
⑮ 559000 ⑯ 81000

4주차 - (세 자리 수) × (두 자리 수)

54쪽

① 982 ② 5424 ③ 1404
④ 420 ⑤ 5698 ⑥ 4518
⑦ 2136 ⑧ 2268 ⑨ 3129
⑩ 7281 ⑪ 1026 ⑫ 6111

55쪽

① 31230 ② 11160 ③ 7580
④ 27650 ⑤ 55380 ⑥ 13920
⑦ 18750 ⑧ 20510 ⑨ 30320

56쪽

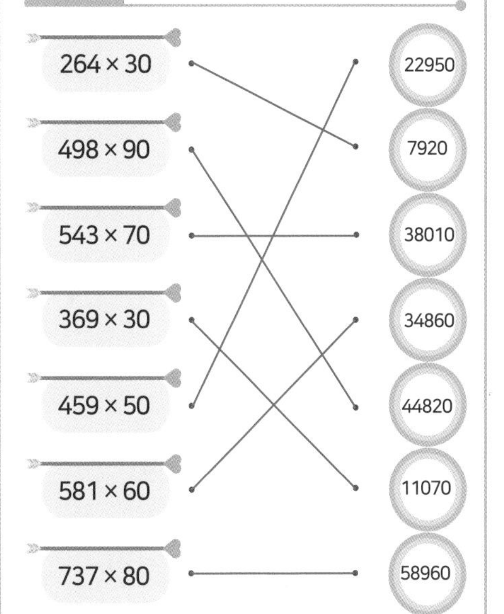

57쪽

① 29100, 5820, 34920
② 18400, 460, 18860
③ 47700, 1590, 49290
④ 5200, 780, 5980
⑤ 28800, 2880, 31680
⑥ 28500, 2280, 30780
⑦ 25200, 7560, 32760

58쪽

① 38800, 1455, 40255
② 28020, 934, 28954
③ 37700, 3016, 40716
④ 5340, 534, 5874
⑤ 56520, 3768, 60288
⑥ 3720, 744, 4464
⑦ 33600, 6720, 40320

59쪽

① 19208 ② 3783 ③ 32121
④ 66576 ⑤ 49305 ⑥ 19404
⑦ 12544 ⑧ 19203 ⑨ 32708

60쪽

① 14320 ② 35292 ③ 43706
④ 26418 ⑤ 52585 ⑥ 39600
⑦ 22050 ⑧ 65800 ⑨ 44091
⑩ 48384 ⑪ 22389 ⑫ 19320

61쪽

① 37360 ② 18870 ③ 44950
④ 45430 ⑤ 28861 ⑥ 36050
⑦ 45066 ⑧ 60390 ⑨ 42000
⑩ 36729 ⑪ 72540 ⑫ 26358

62쪽

① 77080 ② 27160 ③ 59840
④ 43914 ⑤ 56810 ⑥ 89397
⑦ 30320 ⑧ 14193 ⑨ 57583
⑩ 53680 ⑪ 28512 ⑫ 39872

63쪽

① 16128 ② 30744
③ 22656 ④ 22866 ⑤ 41738
⑥ 13124 ⑦ 15120 ⑧ 47125
⑨ 27907 ⑩ 61332 ⑪ 54896

64쪽

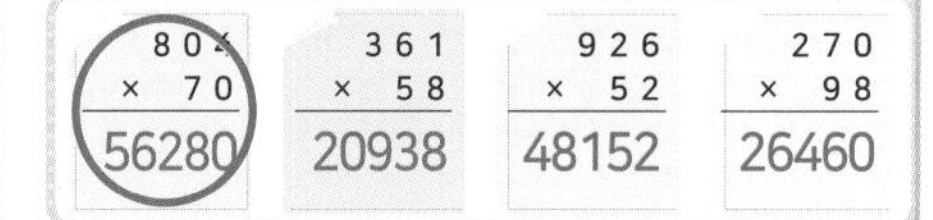

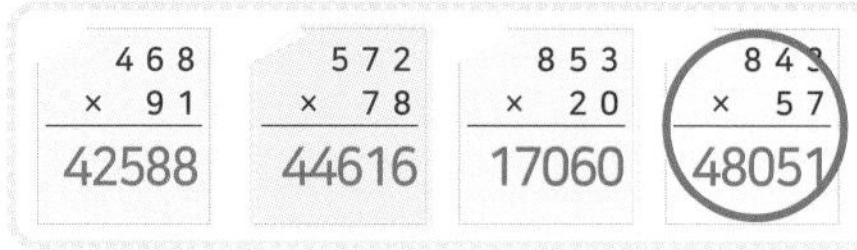

468 × 91	572 × 78	853 × 20	843 × 57
42588	44616	17060	48051

65쪽

① 7590 ② 3570 ③ 2622
④ 4267 ⑤ 11895 ⑥ 9062

66쪽

① 421 - 36 = 385, 385
② 385 × 36 = 13860, 13860
③ 216 - 45 = 171, 7695
171 × 45 = 7695

67쪽

① 240 × 12 = 2880, 2880
② 30 × 365 = 10950, 10950
③ 250 × 23 = 5750, 5750
④ 24 × 274 = 6576, 6576

68쪽

① 50 × 256 = 12800, 12800
② 350 × 37 = 12950, 12950
③ 390 × 27 = 10530, 10530
④ 127 × 31 = 3937, 3937

70쪽

① 8582 ② 11616 ③ 12504
④ 3075 ⑤ 57498 ⑥ 14306
⑦ 32244 ⑧ 18501 ⑨ 31479
⑩ 46045 ⑪ 10226 ⑫ 31865

71쪽

① 111240 ② 47840 ③ 242690
④ 82410 ⑤ 227760 ⑥ 680800
⑦ 257580 ⑧ 58260 ⑨ 311820
⑩ 334950 ⑪ 192240 ⑫ 352400

72쪽

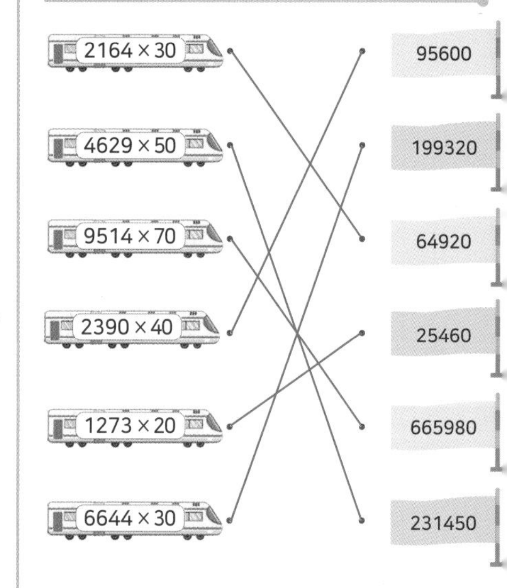

73쪽

① 139412 ② 175565 ③ 513969
④ 259753 ⑤ 422464 ⑥ 108052

74쪽

① 264454 ② 306578 ③ 176652
④ 237875 ⑤ 69104 ⑥ 244928
⑦ 98252 ⑧ 361501 ⑨ 71188

75쪽

① 151219 ② 276780 ③ 284050
④ 481878 ⑤ 699244 ⑥ 563346
⑦ 391853 ⑧ 517514 ⑨ 362832

76쪽

① 385938 ② 353015 ③ 122925
④ 443963 ⑤ 246642 ⑥ 533419
⑦ 62074 ⑧ 370461 ⑨ 164266

77쪽

① 187772 ② 295884 ③ 271575
④ 466662 ⑤ 334165 ⑥ 153712
⑦ 497365 ⑧ 258660 ⑨ 198764

78쪽

① 276422 ② 225900 ③ 249900
④ 157947 ⑤ 301254 ⑥ 393795
⑦ 206466 ⑧ 319352 ⑨ 176233

79쪽

① 2913 2913 145650
② 875 875 17500
③ 1572 1572 94320
④ 1428 1428 42840
⑤ 1827 1827 91350
⑥ 2401 2401 216090
⑦ 5656 5656 395920

80쪽

4927	1734	2435
× 34	× 25	× 17
19708	8670	17045
14781	3468	2435
167518	43350	41395

7572	4654	9184
× 34	× 29	× 75
30288	41886	45920
22716	9308	64288
257448	134966	688800

8253	4917	3452
× 27	× 99	× 45
57771	44253	17260
16506	44253	13808
222831	486783	155340

81쪽

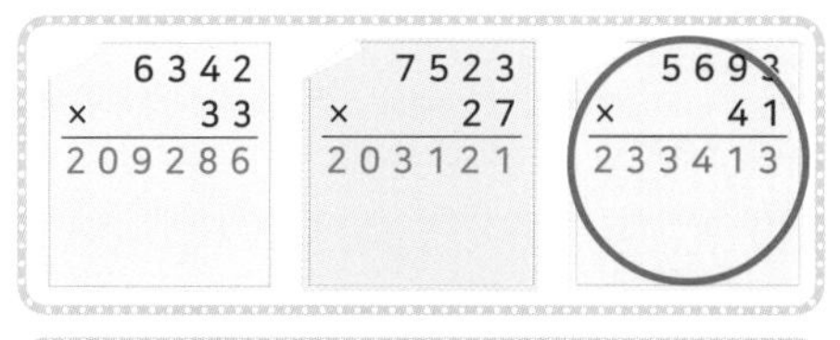

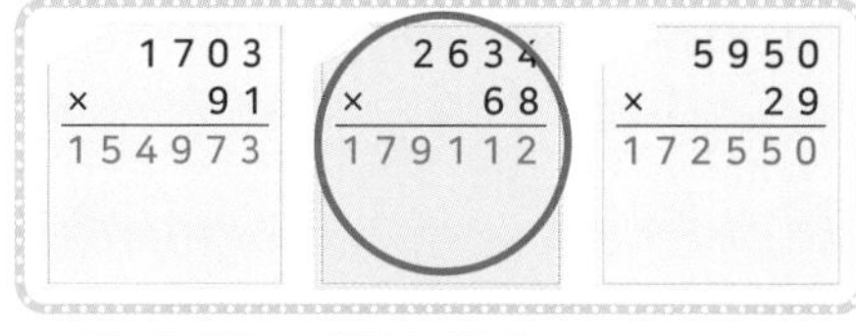

82쪽

① 1432 × 42 = 60144

83쪽

① 5400 × 28 = 151200, 151200
② 1350 × 25 = 33750, 33750
③ 3892 × 56 = 217952, 217952
④ 82 × 3725 = 305450, 305450

84쪽

① 8712 × 37 = 322344, 322344
② 1541 × 30 = 46230, 46230
③ 7840 × 38 = 297920, 297920
④ 4892 × 22 = 107624, 107624

6주차 - 도전! 계산왕

86쪽

① 5640 ② 29410 ③ 6775
④ 46269 ⑤ 35623 ⑥ 41730
⑦ 91980 ⑧ 238815 ⑨ 559550
⑩ 448433 ⑪ 350882 ⑫ 226092

87쪽

① 65338 ② 68972 ③ 22080
④ 23800 ⑤ 25974 ⑥ 37740
⑦ 157185 ⑧ 191149 ⑨ 476292
⑩ 635700 ⑪ 419802 ⑫ 147605

88쪽

① 12276 ② 22148 ③ 43335
④ 57868 ⑤ 25760 ⑥ 18788
⑦ 475960 ⑧ 125619 ⑨ 612935
⑩ 239522 ⑪ 744558 ⑫ 817520

89쪽

① 20880 ② 20525 ③ 48921
④ 41184 ⑤ 20664 ⑥ 47742
⑦ 416208 ⑧ 315119 ⑨ 232186
⑩ 310830 ⑪ 655620 ⑫ 665260

90쪽

① 25578 ② 70368 ③ 35295
④ 63900 ⑤ 50840 ⑥ 23005
⑦ 297408 ⑧ 202188 ⑨ 295110
⑩ 409190 ⑪ 94842 ⑫ 348936

91쪽

① 53268 ② 46848 ③ 19380
④ 30742 ⑤ 37920 ⑥ 26398
⑦ 311133 ⑧ 126932 ⑨ 236359
⑩ 290592 ⑪ 116675 ⑫ 212324

92쪽

① 41772 ② 21825 ③ 20633
④ 70470 ⑤ 25908 ⑥ 26350
⑦ 228432 ⑧ 269280 ⑨ 283446
⑩ 288025 ⑪ 257184 ⑫ 590814

93쪽

① 15600 ② 43686 ③ 35425
④ 36660 ⑤ 56242 ⑥ 21725
⑦ 84381 ⑧ 295773 ⑨ 217028
⑩ 200050 ⑪ 629204 ⑫ 571320

94쪽

① 25578 ② 66385 ③ 36720
④ 76725 ⑤ 32702 ⑥ 43522
⑦ 363488 ⑧ 315840 ⑨ 449674
⑩ 331380 ⑪ 447095 ⑫ 218620

95쪽

① 16153 ② 75164 ③ 21432
④ 35325 ⑤ 49140 ⑥ 31490
⑦ 352305 ⑧ 266190 ⑨ 629962
⑩ 309604 ⑪ 442715 ⑫ 299366

총괄 테스트 정답

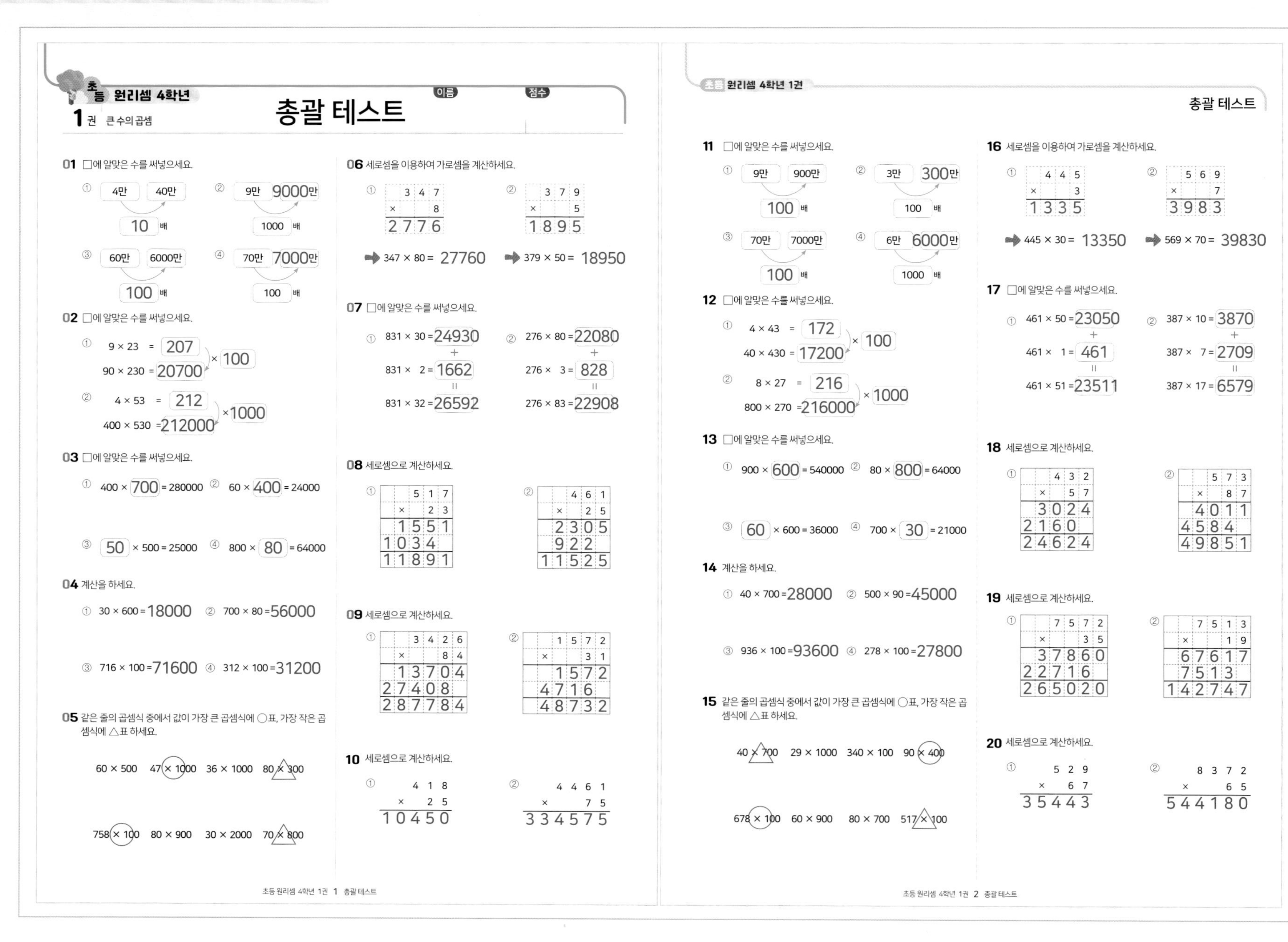

초등 원리셈 4학년 1권 큰 수의 곱셈

총괄 테스트

이름 점수

01 □에 알맞은 수를 써넣으세요.

① 4만 → 40만 : 10배
② 9만 → 9000만 : 1000배
③ 60만 → 6000만 : 100배
④ 70만 → 7000만 : 100배

02 □에 알맞은 수를 써넣으세요.

① 9 × 23 = 207, 90 × 230 = 20700 (×100)
② 4 × 53 = 212, 400 × 530 = 212000 (×1000)

03 □에 알맞은 수를 써넣으세요.

① 400 × 700 = 280000 ② 60 × 400 = 24000
③ 50 × 500 = 25000 ④ 800 × 80 = 64000

04 계산을 하세요.

① 30 × 600 = 18000 ② 700 × 80 = 56000
③ 716 × 100 = 71600 ④ 312 × 100 = 31200

05 같은 줄의 곱셈식 중에서 값이 가장 큰 곱셈식에 ○표, 가장 작은 곱셈식에 △표 하세요.

60 × 500 47 × 1000(○) 36 × 1000 80 × 300(△)

758 × 100(○) 80 × 900 30 × 2000 70 × 800(△)

06 세로셈을 이용하여 가로셈을 계산하세요.

① 347 × 8 = 2776 → 347 × 80 = 27760
② 379 × 5 = 1895 → 379 × 50 = 18950

07 □에 알맞은 수를 써넣으세요.

① 831 × 30 = 24930, 831 × 2 = 1662, 831 × 32 = 26592
② 276 × 80 = 22080, 276 × 3 = 828, 276 × 83 = 22908

08 세로셈으로 계산하세요.

① 517 × 23: 1551, 1034 → 11891
② 461 × 25: 2305, 922 → 11525

09 세로셈으로 계산하세요.

① 3426 × 84: 13704, 27408 → 287784
② 1572 × 31: 1572, 4716 → 48732

10 세로셈으로 계산하세요.

① 418 × 25 = 10450
② 4461 × 75 = 334575

11 □에 알맞은 수를 써넣으세요.

① 9만 → 900만 : 100배
② 3만 → 300만 : 100배
③ 70만 → 7000만 : 100배
④ 6만 → 6000만 : 1000배

12 □에 알맞은 수를 써넣으세요.

① 4 × 43 = 172, 40 × 430 = 17200 (×100)
② 8 × 27 = 216, 800 × 270 = 216000 (×1000)

13 □에 알맞은 수를 써넣으세요.

① 900 × 600 = 540000 ② 80 × 800 = 64000
③ 60 × 600 = 36000 ④ 700 × 30 = 21000

14 계산을 하세요.

① 40 × 700 = 28000 ② 500 × 90 = 45000
③ 936 × 100 = 93600 ④ 278 × 100 = 27800

15 같은 줄의 곱셈식 중에서 값이 가장 큰 곱셈식에 ○표, 가장 작은 곱셈식에 △표 하세요.

40 × 700(△) 29 × 1000 340 × 100 90 × 400(○)

678 × 100(○) 60 × 900 80 × 700 517 × 100(△)

16 세로셈을 이용하여 가로셈을 계산하세요.

① 445 × 3 = 1335 → 445 × 30 = 13350
② 569 × 7 = 3983 → 569 × 70 = 39830

17 □에 알맞은 수를 써넣으세요.

① 461 × 50 = 23050, 461 × 1 = 461, 461 × 51 = 23511
② 387 × 10 = 3870, 387 × 7 = 2709, 387 × 17 = 6579

18 세로셈으로 계산하세요.

① 432 × 57: 3024, 2160 → 24624
② 573 × 87: 4011, 4584 → 49851

19 세로셈으로 계산하세요.

① 7572 × 35: 37860, 22716 → 265020
② 7513 × 19: 67617, 7513 → 142747

20 세로셈으로 계산하세요.

① 529 × 67 = 35443
② 8372 × 65 = 544180

원리
이해

다양한
계산 방법

충분한
연습

성취도
확인

○ 마술 같은 논리 수학 **매직**

전 영역에 걸쳐 균형 있는 논리력, 문제해결력 기르기

○ 생각하고 발견하는 수학 **로지카**

최고 수준 학습을 위한 사고력, 문제해결력 기르기

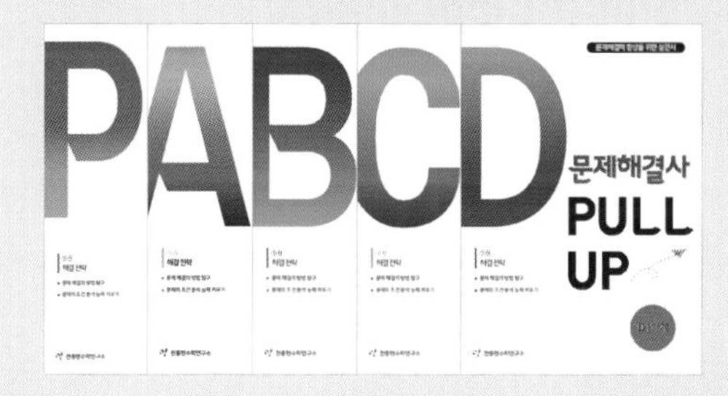

○ 문제해결력 향상을 위한 실전서
문제해결사 PULL UP

학년별 실전 고난도 문제해결을 위한 브릿지 학습

천종현수학연구소의 학원 프로그램, **로지카 아카데미**

"수학으로 세상을 다르게 보는 아이로!"
"생각하고 발견하는 수학, **로지카 아카데미**에서 시작하세요."

20년 차 수학교육전문가 천종현 소장과 함께 생각하는 힘을 기를 수 있는 곳, 로지카 아카데미입니다. 생각하고 발견하는 수학을 통해 아이들은 새로운 세상을 만나게 될 것입니다. 오늘부터 아이의 수학 여정을 로지카 아카데미와 함께하세요.

▶ ▷ ▷ ▷ **로지카 아카데미** www.logicaedu.kr

천종현수학연구소의 교재 흐름도

	4세	5세	6세	7세	초 1
출판 교재					
유자수 · 탑사고력	만 3세	만 4세	만 5세	K단계	P단계
원리셈		5, 6세	6, 7세	7, 8세	초등 1
교과셈					초등 1
따풀				7세	초등 1
학원 교재					
매직 · 로지카			K단계	P단계	A단계
풀업				P단계	A단계